중국어 해석문법

김의수(金毅洙) uskim2004@naver.com
　　한국외국어대학교 사범대학 한국어교육과 교수
　　고려대학교 민족문화연구원 연구조교수 역임

한춘희(韓春姬) cnsgml0222@naver.com
　　한국외국어대학교 대학원 국어국문학과 박사과정 수료
　　옌청사범대학교 외국어학원 조선어학과 전임강사 역임

辛博(신박) latokcl@163.com
　　연변대학교 외국어학원 조선어학과 교수
　　충칭사범대학교 문과대학 전임강사 역임

중국어 해석문법

발　행 | 2024년 07월 11일
　　　　　2024년 07월 26일 (수정)
저　자 | 김의수 · 한춘희 · 辛博
펴낸이 | 한건희
펴낸곳 | 주식회사 부크크
출판사등록 | 2014.07.15.(제2014-16호)
주　소 | 서울특별시 금천구 가산디지털1로 119 SK트윈타워 A동 305호
전　화 | 1670-8316
이메일 | info@bookk.co.kr

ISBN | 979-11-410-9475-1

중국어 해석문법

김의수 · 한춘희 · 辛博 지음

머리말

8년의 세월이 흘렀다. 맨 처음 김의수와 한춘희가 이 책의 첫 페이지를 쓰기 시작하였고, 몇 년 후 신박이 함께하였다. 강우림과도 그리 길지 않은 시간을 같이한 기억이 있다.

어떠한 것을 오랫동안 추구한다는 것은 쉽지 않은 일이다. 이 책을 쓰는 동안 많은 일이 있었다. 한춘희는 결혼을 하고 아이를 낳았으며 곧 이 책과 관련된 연구로 박사학위를 받는다. 신박은 이 책을 쓰는 동안 대학의 전임이 되었다. 김의수는 큰 기대 없이 그러나 매우 흥미로워하면서 이 책을 시작하였다가 아이를 얻어 이제는 그 아이가 초등학교에 입학하였다.

이 책은 중국어 문장을 분석할 수 있게 해 준다. 문장 하나를, 그것이 담고 있는 주어와 서술어, 상과 종결을 모두 놓치지 않고 알뜰하고 다부지게 분석하고 표시할 수 있게 해 준다. 문장이 내보이는 문법 정보를 오로지 4개의 표에 의지하여 단 한 줄로 표시할 수 있다. 마치 마법과도 같이. 그러나 이러한 마법과 같은 일이 일어나기 위해 천둥은 먹구름 속에서 또 그렇게 울 수밖에 없었다. 적지 않은 사람들이 적지 않은 시간 동안 적지 않은 노력을 통해 수많은 연구를 해야 했다. 이 책은 해석문법 연구가 한국어에서 시작하여 중국어에 가 닿은 첫 열매다. 그러한 열매를 맺기 위해 15년 동안의 한국어 해석문법 연구가 필요했고, 그 옆에서 8년 동안의 중국어 해석문법 연구가 필요했다. 이제 그 열매를 소중히 담아 세상에 내놓는다. 이 책을 쓴 우리들뿐만 아니라 이 책을 읽는 많은 이들도 이 책을 통해 기쁨과 보람을 함께 느꼈으면 한다. 연구의 막다른 골목에 들어설 때마다 늘 새 길 열어 주시는 하나님께 깊이 감사드린다.

2024년 6월
저자들을 대표하여 김의수 씀

목　차

머리말

1장. 중국어 해석문법 개관

해석문법은 한국어를 대상으로 하여 2008년에 시작되었다. 해석문법은 문장의 여러 층위 즉, 음운 층위, 형태 층위, 통사 층위, 화용 층위에서 입체적으로 문장의 다양한 특징을 분석하고 표시할 수 있는데 그 시작은 통사 층위로부터 이루어졌다. 김의수(2008)에서는 한국어 문장이 가진 통사적 특징을 간단하고 명료하게 파악하여 표시할 수 있는 방안을 제시하였다. 그것이 한국어 해석문법의 시작이다. 이렇게 문장의 통사 층위에 대한 연구로부터 출발하여 형태 층위와 화용 층위를 거쳐(김의수 2017), 음운 층위까지 포괄하여 문장이 가진 31가지 정보를 담아낼 수 있게 되었다(정은주 2021). 이러한 과정에서 이루어진 구체적인 연구는 국어학, 국어교육, 한국어교육 및 통번역 분야에 걸쳐 15년 동안 18편에 이르는 학술지 논문과 30편에 달하는 석사 논문, 1편의 박사 논문, 2권의 단행본으로 빛을 보았다. 이러한 연구는 한국어 문장에 대한 분석으로부터 출발하여 한국어 텍스트 분석에까지 이르는 방법론을 구축하였다. 김의수(2023)는 한국어 문장의 통사 정보를 이용하여 텍스트를 조직하는 문장의 연결을 탐구하였다.

한국어 해석문법에 대한 이러한 연구가 줄기차게 이루어지는 가운데, 동일한 방법론을 통하여 한국어 이외의 언어를 연구하고자 하는 시도가 생겨났다. 그 한 가지로서 2016년 5월 말, 중국어 문장

연구에 대한 기본서들을 본격적으로 수집하고 검토하는 것으로부터 중국어 해석문법 연구가 시작되었다. 중요 문법서 및 사전에 대한 기초적인 조사가 끝난 후, 우선 통사 층위에서부터 중국어 문장을 체계적으로 분석하고 표시할 수 있는 방안을 마련하고자 하였다. 이때 원용된 것이 한국어 해석문법의 통사 층위 분석 틀이다. 그것은 4개의 틀로서 (ⅰ)문장성분의 유형, (ⅱ)체언 성분, (ⅲ)서술어, (ⅳ)양태성분의 유형에 관한 정보를 담는다. 이러한 틀은, 중국어 문법서와 사전에 대한 비판적인 검토 과정 속에서, 한국어 문장뿐만 아니라 중국어 문장까지도 합리적으로 다룰 수 있음이 드러났다. 다만, 언어의 차이로 인한 언어 이론의 변이가 불가피했는데, 그것은 곧 대조언어학적인 작업으로 이어졌다. 2021년 7월, 4개의 기본 틀이 일차적으로 완성되었고, 이후 몇 개월의 수정 과정을 거쳐 온전한 모습을 드러내게 되었으며, 같은 해 12월부터 이듬해 3월까지 실제 문장 분석에 적용되어 실전 테스트를 거쳤다. 이러한 연구는 이제 한 편으로는 중국어 해석문법을 알리는 이 책의 집필(김의수·한춘희·신박)로, 다른 한 편으로는 해석문법을 기반으로 한 중국어와 한국어의 대조 및 번역을 다루는 박사학위 논문(한춘희)으로 이어지게 되었다.

이 책에서는 중국어 문장 분석을 위한 4개의 틀에 관한 기본 설명과, 그것을 문장 분석에 실제로 적용하는 구체적인 방법, 그리고 그렇게 중국어 문장 분석이 이루어지는 현장에서 마주칠 수 있는 여러 가지 난해한 구문과 그 해법을 다룬다. 여기에 그치지 않고, 문장 분석을 통해 그러한 문장들로 구성된 텍스트의 성격 파악에까지 나아갈 수 있는 방안도 모색해 보고자 한다.

먼저 2장에서는 4개의 통사 분석 틀(2.1절)과 그 적용(2.2절)을 다룬다. 4개의 통사 분석 틀이란, 문장성분 유형 분석 틀, 체언 성분 분석 틀, 서술어 분석 틀, 양태성분 분석 틀이다. 문장성분 유형에는 4가지 거시 유형(독립성분, 명제성분, 양태성분, 기타)과 13가지 미시 유형(독립어; 주어, 목적어, 보어, 부사어, 서술어; 시제, 상, 태도, 종결; 부호, 인용, 단독)이 있다. 체언 성분 분석 틀은 관형어 정보(9가지), 핵 정보(8가지), 부치사 정보(7가지)로 구성된다. 이때 부치사란, 한국어의 조사(후치사)와 중국어의 전치사를 포괄하는 것이다. 서술어 분석 틀은 서술어의 종류(9가지), 서술어의 자릿수(1~n개), 补语(보어)의 종류(7가지)로 이루어진다. 양태성분 분석 틀은 시제(3가지), 상(4가지), 태도(6가지), 종결(4가지)로 구성된다. 이러한 4가지 틀의 조합으로 문장 하나를 입체적으로 분석할 수 있다. 그것에 관한 체계적인 논의는 2.2절에서 이루어진다. 여기서는 단문에 대해서뿐만 아니라 특히 복문에 대해서도 구체적인 예를 통해 알기 쉽게 설명한다.

2장에서 중국어 문장 분석의 기본을 다루었다면, 3장에서는 중국어 문장 분석의 심화 국면을 다룬다. 여기서는 우선, 중국어 문장 분석의 기본 원칙(상위절 성분의 우선 확보, 이중 주어나 이중 목적어 불인정)을 살펴보고, 서술어를 중심으로 한 난해한 구문('是'자문,

어근 분리, 서술어 주변 정보: 补语(보어) 등)에 대해 논의한다. 마지막으로 4장에서는 이제까지 다룬 중국어 문장 분석 기법을 이용하여 문장뿐만 아니라 텍스트의 특성까지도 연구할 수 있는 방법을 소개한다. 이를 위해 말뭉치(원시 말뭉치, 문장 분석 말뭉치) 구축 방법, 문장의 복잡성과 다양성 측정 기제, 텍스트를 조직하는 문장의 연결(2가지 국면) 탐구에 관해 살펴본다.

이 책에서 소개하는 중국어 해석문법의 활용 분야는 다음과 같다. 먼저 해석문법 대조 연구이다. 중국어 해석문법이 한국어 해석문법을 바탕으로 나왔지만, 중국어와 한국어의 고유한 차이로 인해 두 가지 해석문법은 다른 양상을 띨 수밖에 없다. 이는 곧 해석문법이라는 공통 분모 위에서 이루어지는 대조언어학 즉, 해석문법 대조 연구가 가능함을 의미한다. 그 다음으로 한중, 중한 통번역 연구이다. 두 언어 간의 통역 및 번역 결과는 어떤 틀에 의해서 비교, 대조될 수 있는데, 이때 그 틀로서 중국어 해석문법은 한국어 해석문법과 함께 중요한 역할을 할 수 있다. 원문 텍스트와 번역 텍스트 간의 질적, 양적 연구에서 해석문법은 체계적이고 객관적인 연구 방법론을 제공해 줄 수 있다.[1]

세 번째로 중국어교육 연구이다. 중국어 해석문법은, 중국어를 모어

---

[1] 이 책의 저자 가운데 한 명인 한춘희의 박사 논문(2024년 8월 예정)에서는 이상의 두 가지 주제를 다룬다. 즉, 그의 논문 2장에서는 한중 해석문법 대조 연구를, 3장에서는 한중 번역 연구를 다룬다.

로 구사하는 이들(어문교육)과 중국어를 외국어로 배우는 이들(대외한어교육)에 관한 연구에서 중요하게 활용될 수 있다. 어문교육 차원에서 아동 언어 발달의 진단, 교재의 수준 평가, 시험 지문의 단계별 적절성 등에 사용될 수 있으며, 대외한어교육 차원에서도, 그동안 한국어교육 차원에서 이루어진 수많은 해석문법 연구의 다양한 주제들이 거의 모두 흥미롭게 연구될 수 있을 것이다. 또한 빠뜨릴 수 없는 것은 중국어 문체론 연구이다. 해석문법을 통한 문체론 연구는 현재 한국어 해석문법 차원에서 그 효용성이 주목되고 있다. 즉, 작가에 따라 어떠한 문장 유형을 즐겨 쓰느냐를 매우 미시적인 차원에서 통계적으로 드러낼 수 있는 것이다. 같은 맥락에서, 중국어 해석문법을 통해 작가별 중국어 텍스트 연구가 충분히 가능하다.

중국어 해석문법을 활용한 연구는, 중국어 해석문법이 통사 층위를 넘어 음운 층위, 형태 층위, 화용 층위로 확대될수록 더욱 다양하고 광범위해질 것이다. 이러한 연구는 중국어에 대한 이해의 깊이를 더할 뿐만 아니라, 한국어 해석문법을 자극하고 더 나아가 또 다른 언어들의 해석문법을 만들어 보고자 하는 의욕을 불러일으킬 것이다.

2장. 중국어 문장 분석의 기본

본 장에서는 중국어 해석문법의 문장 분석 틀을 소개하고 그 틀이 실제로 어떻게 적용되는지 구체적인 예를 통해 살펴보기로 한다.

2.1 문장 분석 틀

2.1.1 문장성분 유형 분석 틀

문장을 분석하기 위해서는 문장을 구성하는 문장성분과 그 세부 정보에 무엇이 포함되었는지를 정확히 알아야 한다. 중국어 해석문법은 중국어 문장의 통사 정보를 4개의 틀인 '문장성분과 그 표지', '체언 성분의 정보 표시', '서술어 정보 표시', '양태성분의 정보 표시'에 담아서 나타낸다. 먼저 첫 번째 틀인 '문장성분과 그 표지'를 소개하기로 한다.

(1) 문장성분과 그 표지

	기호	성분명(국어)[2]	약자 출처
독립성분	J	독립어	interJection
명제성분	A	주어	subject
	B	목적어	oBject
	C	보어	Complement
	D	부사어	ADverb
	E	서술어	prEdicate
양태성분	T	시제	Tense
	S	상	aSpect
	M	태도	Manner
	N	종결	eNding
기타	P	부호	Punctuation
	Q	인용	Quotation
	X	단독	eXtra
계	4유형, 13개		

해석문법에서는 문장을 크게 독립성분, 명제성분, 양태성분, 기타, 이렇게 4가지 유형으로 나누어 분석한다. 이러한 4가지 유형은 다

---

2) 본고에서 사용하는 주어, 술어, 목적어, 보어, 관형어, 부사어 등의 문법 용어는 한국중국언어학회에서 1991년에 발표한 「중국어 문법 용어 통일 시안」을 따른다. 중국어 해석문법에서 사용하는 중국어 문법 용어는 한국어로 적고, 중국어 문법에서 사용하는 용어는 중국어로 쓰고 괄호 안에 한국어로 번역된 용어를 넣기로 한다.

시 13가지 하위 유형으로 세분화된다.

독립성분에는 독립어(J)가 있고, 명제성분에는 주어(A), 목적어(B), 보어(C), 부사어(D), 서술어(E)가 포함된다. 표 (1)에는 중국어 문법에서 문장성분으로 다루어지는 관형어와 补语(보어)가 빠져 있고, 보어3)가 들어가 있다.4) '수식어+피수식어' 어순을 갖는 중국어에서 관형어는 체언이 핵이 되는 명제성분의 내부에 있기 때문에 서술어와 직접적인 관계를 맺을 수 없다. 따라서 다른 명제성분들과 동등한 지위에 있지 못하여 독자적인 명제성분으로 취급하지 않고 체언 성분의 내부 정보로 표시한다. 결국, 일반적인 중국어 문법과 달리, 중국어 해석문법에서는 관형어가 체언 성분의 내부 정보로서의 위상을 가진다.

중국어 문법에서 독자적인 문장성분으로 다루어지는 '补语(보어)'에 대해 논의하기로 한다. 补语(보어)는 위치적으로 동사나 형용사 뒤에 놓이고, 기능적으로는 동작의 결과, 가능, 방향, 수량 및 성질이나 상태, 정도 등을 보충 설명한다(김종호 2003:89). 형식적인 기준에 따라 '得'로 연결되지 않는 补语(보어)와 '得'로 연결되는 补

---

3) 중국어 해석문법에서의 '보어'는 중국어 문법에서의 '补语(보어)'와 구별된다. 즉, '보어'는 명제성분의 하나로서 서술어가 취하는 필수성분이고, '补语(보어)'는 서술어와 관련된 주변 정보이다. 따라서 '보어'는 표 (1)에서 다루어지고, '补语(보어)'는 표 (3)에서 논의될 것이다.

4) 중국어 문법은 일반적으로 주어, 서술어, 목적어, 부사어, 관형어, 补语 (보어)를 문장성분으로 설정한다(朱德熙 1982:95~139, 黄伯荣·廖序东 2011:4~5).

语(보어)로 나누기도 하고, 의미적인 기준에 따라 결과补语(보어),
방향补语(보어), 가능补语(보어), 정도补语(보어), 수량补语(보어),
전치사구 补语(보어) 등으로 다양하게 나누기도 한다. 이렇듯 补语
(보어)는 다른 언어에서는 찾아 보기 힘든, 중국어만의 고유한 언어
현상이다.

补语(보어)는 서술어 뒤에 와서 서술어의 의미를 보충한다는 점에
서, 독자적인 문장성분으로 취급하기보다는, 서술어와 관련된 주변
정보로 보는 것이 합리적일 듯하다. 따라서 중국어 해석문법에서는,
일반적인 중국어 문법과 달리, 补语(보어)의 정보를 표 (3)의 '서술
어 정보 표시'에서 서술어의 주변 정보로 취급한다. 즉, 补语(보어)
는 명제 차원의 독자적인 문장성분이 아닌 것이다.

중국어 해석문법에서 보어는, 서술어가 필수적으로 요구하는 명제
성분 가운데 주어와 목적어를 제외한 나머지 필수성분을 가리킨
다.5) 따라서 방금 언급한 전통적인 补语(보어)는 여기에 해당하지
않는다. 예컨대, '幼年时与父母分开了。(어릴 때 부모와 헤어졌
다.)'에서 '与父母', '他和我妹妹结婚了。(그가 내 여동생과 결혼
했다.)'에서 '和我妹妹' 등과 같은 예가 보어에 해당한다.

양태성분에는 시제(H), 상(S), 태도(M), 종결(N)의 4가지 유형이

---

5) 이와 같은 명제성분의 보어 개념은 한국어 해석문법과 맥을 같이한다.
   이와 관련하여서는 김의수(2017:90)를 참고할 수 있다.

있다. 이들은 표 (4)에서 자세히 다룬다.

마지막으로 기타 정보에는 부호(P), 직접 인용된 문장을 표시하는 인용(Q), 통사적 차원에서 문법기능을 가진다고 보기 힘든 단독(X) 이 있다. 이에 대한 설명은 2.1.5절에서 이루어진다.

2.1.2 체언 성분 분석 틀

(2) 체언 성분의 정보 표시

관형어 정보		핵 정보		부치사[6] 정보	
0	관형어 없음			0	전치사 없음.
1	구별사	1	보통명사	1	由류 전치사 (由/归)
2	부사	2	고유명사	2	부사어류 전치사
3	체언	3	의존명사 (的, 양사)	3	把류 전치사 (把/将/管/拿)
4	체언+的	4	인칭대명사	4	被류 전치사 (被/叫/让/给)
5	절	5	비인칭대명사	5	连 전치사
6	절+的	6	수사	6	기타
7	전치사구+的	7	절		
8	기타	8	기타		

두 번째 분석 틀인 '체언 성분의 정보 표시'는 체언이 문장성분으로 쓰일 때의 세부 정보를 담고 있다. 즉, 핵인 체언 정보를 중심으로 왼쪽에는 관형어 정보, 오른쪽에는 부치사로서의 전치사 정보가 있다. 이때 주의할 것은, 비록 전치사가 관형어 왼쪽에 출현하지만 이 표에서는 해석문법 간 대조를 위해 가장 오른쪽에 부치사로서의 전치사 정보를 표시한다는 점이다. 먼저 관형어 정보에 관해 살펴보기로 한다.

체언 성분의 관형어 정보

표 (2)의 왼쪽에 관형어 정보가 있다. 관형어가 나타나지 않을 때에는 숫자 '0'으로 표시해 준다. 그 다음 숫자부터 여러 유형의 관형어를 나타낸다. 중국어 해석문법에서는 관형어로만 쓰이는 구별사[7]를 '1'로 표시한다. 그 다음, 부사가 체언을 수식하는 경우가 있는데 이런 부사를 '2'로 표시한다. 예를 들면, '<u>就</u>我朋友买了大

---

6) 부치사(adposition)는 전치사(preposition)와 후치사(postposition)를 포괄하는 개념이다. 이 자리에 한국어 해석문법에서는 조사 정보를 표시하고 중국어 해석문법에서는 전치사 정보를 표시하기로 한다.

7) 구별사는, 후행하는 체언을 '的'의 도움 없이 단독으로 수식한다. 그런데 '亲爱(사랑하다), 心爱(애지중지하다)'처럼 '的'가 뒤에 결합해야만 피수식어를 수식할 수 있는 구별사가 있다. 박은석(2015:399)에 의하면 이들 구별사가 '的'의 도움을 받아야만 후행하는 체언을 수식할 수 있는 것은 이러한 구별사가 본래의 용언 용법을 아직도 가지고 있기 때문이며, '亲爱(사랑하다), 心爱(애지중지하다)'와 같은 구별사의 양은 매우 적다고 설명하고 있다. 중국어 해석문법에서는 이와 같이 용언의 용법을 아직도 지니고 있는 '亲爱(사랑하다), 心爱(애지중지하다)'와 같은 구별사는 형용사로 분석한다.

型轿车。(오직 내 친구만이 대형 승용차를 샀다.)'와 같은 문장에서 부사 '就'가 체언 '我'를 수식해 준다.

체언의 경우, 체언 단독 또는 체언에 '的'가 결합하여 다른 체언을 수식할 수 있다. 후행하는 체언을 혼자서 수식하는 체언을 '3'으로 표시해 준다. 예컨대, '<u>物理</u>老师今天不来学校。(물리 선생님이 오늘 학교에 안 온다.)'에서 명사 '物理'가 명사 '老师'를 수식한다. '체언+的' 구성이 체언을 수식하면 '4'로 표시한다. 예를 들면, '<u>妹妹的</u>成绩最好。(여동생의 성적이 제일 좋다.)'에서 명사 '妹妹'와 '的'가 결합한 '妹妹的'가 후행하는 명사 '成绩'를 수식한다.

절8)의 경우, 절 단독 또는 절에 '的'가 결합하여 후행하는 체언을 수식할 수 있다. 절 단독으로, 후행하는 체언을 수식하면 '5'로 표시하고, '절+的' 구성이 체언을 수식하면 '6'으로 표시한다. 가령, '大家提了<u>不少</u>意见。(모두들 적지 않은 의견을 제기했다.)'에서 절 '不少'가 후행하는 명사 '意见'을 수식하기 때문에 5번으로 표시하고, '孩子喜欢<u>新买的</u>衣服。(아이는 새로 산 옷을 좋아한다.)'에서 절 '新买'와 '的'가 결합한 '新买的'가 후행하는 명사 '衣服'를 수식하므로 6번으로 표시한다.

---

8) 중국어의 절은 '주어+서술어'가 기본 형식이지만 주어가 생략된 '서술어' 구조 역시 절이 될 수 있다. 중국어 절은 독립적으로 문장이 될 수도 있다. 그러나 '억양(语调)'이 첨가된 후에야 문장이 될 수 있는 비독립적인 특징도 동시에 갖는다(문유미 2015:120). 절은 '小句, 子句, 分句, 从句' 등 다양한 용어로 불린다.

전치사구와 '的'가 결합하여 관형어로 쓰이는 경우에는 '7'로 표시한다. 예컨대, '人们开始了<u>对月亮的</u>研究。(사람들은 달에 대한 연구를 시작하였다.)'에서 전치사구 '对月亮'과 '的'가 결합하여 후행하는 명사 '研究'를 수식한다.

마지막으로 8번 '기타'가 있는데, '什么时候用#符号?(언제 # 기호를 쓰는가?)'에서 '#'는 중국어가 아닌데 명사 '符号'를 수식하고 있으므로 기타 '8'로 표시한다.

체언 성분의 핵 정보

관형어 정보에 이어서 설명할 것은 체언 성분의 핵인 체언 자체의 정보이다. 이것은 표 (2)의 중간에 배열되어 있다.

핵 정보는 관형어 정보와 다르게 1번부터 시작한다. 관형어 정보에서 관형어가 나오지 않을 경우 숫자 '0'으로 표시하는데, 체언 성분에서 핵이 없을 수가 없으므로 체언의 핵 정보는 1번으로부터 시작한다.

중국어 체언에는 명사, 대명사[9], 수사, 양사가 있는데, 명사는 다시 고유명사, 보통명사로 나뉘고[10] 대명사는 인칭대명사와 비인칭대명

---

9) 대명사는 대체사(代词)의 하위 유형으로, 명사를 대체하는 품사이다(黄伯荣·廖序东 2011:21).
10) 중국어 명사의 하위 유형은 학자마다 차이가 있기는 하지만 '보통명사'와 '고유명사'를 하위 유형으로 분류하는 데에는 이견이 없다. 그

사로 나뉜다. 이를 핵 정보로 차례대로 나타내면, 고유명사는 1번, 보통명사는 2번, 양사는 3번, 인칭대명사는 4번, 비인칭대명사는 5번이 된다. 그리고 수사는 6번으로 표시한다.

중국어의 양사는 사람, 사물이나 동작의 수량 단위를 나타내는 단어로, 자립적으로 쓰일 수 없고 항상 수사에 의존적이다. 따라서 이것은 한국어 해석문법의 의존명사와 대응되므로 3번으로 표시하기로 한다.

체언의 핵 자리에 나타나면서 의존적인 요소가 양사 외에 하나 더 있는데, 바로 '的字短语(的자구)'의 '的'이다. '的'가 다른 단어나 구 뒤에 결합하여 만들어진 새로운 명사구를 '的자구'라고 하며, 이는 사람이나 사물을 지칭한다.[11] 이때의 '的'를 朱德熙(1965:110~111)는 명사화표지라고 부른다.[12]

외에 '시간명사', '처소명사', '방위명사'를 하위 유형으로 분류하기도 하는데, 이 세 유형의 명사는 의미를 기준으로 분류한 것이다. 김의수(2023:77)는, 해석문법은 '문장의 통사적 분석 틀'로, 문장을 분석하기 위해서는 의미적인 기준이 아니라 통사적인 기준이 필요하다고 하였다. 따라서 본고는 관형어에 대한 의존성을 기준으로 '시간명사', '처소명사', '방위명사'를 재분류한다. 즉, 세 유형의 명사는 모두 관형어에 대한 의존성을 가지지 않으므로 공히 자립명사로 분류된다. 또한 단일한 사람이나 사물을 가리키지 않으므로 모두 보통명사로 분류된다.

11) "'的'字短语，是指助词'的'附着在别的词语后面构成的名词性短语，用来指称人或事物。"(张斌 2010:351)

12) 오문의(2013:264~266)에 따르면, 朱德熙(1966:104~107)는 'X的'가 여러 개 쓰인 문장을 예로 들어 '的'를 관형어 표지가 아닌 명사화표지로 분석해야 한다고 주장하며 다음과 같은 예를 든다.

선행하는 요소에 의존적이라는 공통점을 양사와 '的'가 지니므로 그 둘을 하나의 부류로 묶어 볼 수 있는데, 이들은 한국어의 의존명사와 유사해 보인다. 따라서 중국어 해석문법에서는 비록 명사의 하위 유형에 의존명사가 없지만 대조분석적 차원에서 양사와 '的'를 하나로 묶어 의존명사로 분류하며, 3번으로 표시한다.

절이 체언 성분의 핵이 되는 경우 7번으로 표시한다. 가령, '他的 勤奋工作赢得了大家的尊敬。(그의 부지런한 일하기는 모두의 존경을 받았다.)'에서 밑줄 친 절 '勤奋工作'는 핵으로서 그 앞의 관형어 '他的'의 수식을 받고 있다. 즉, 절이 체언 성분의 핵이 된 경우에 해당한다.

이 밖의 경우는 모두 기타(8번)로 취급한다. 예를 들어, '他这次来是 为了你。(그가 이번에 온 것은 너를 위해서이다.)'에서 전치사구 '为了你'가 핵이 된 경우로, '8'로 표시한다. 또한 관형어 정보에서처럼 기호가 핵이 될 수도 있다. 예컨대, '※表示重要的信息。(※는 중요한 정보를 표시한다.)'에서 '※'가 주어의 핵이 되므로, 8번으로 표시한다.

예) 真的、善的、美的东西总是在同假的、恶的、丑的东西相比较而存在, ……
  （ⅰ）*{真]的、{[善]的、[(美)的(东西)]}……
  （ⅱ）{[真的]、[善的]、[美的]} {东西}……
  （여기서 '*' 표시는 비문법적인 표현을 뜻함. 이후로도 마찬가지임）

체언 성분의 부치사 정보

표 (2)의 오른쪽에는 부치사에 해당하는 전치사 정보가 있다. 전치사 정보도 관형어 정보처럼 숫자 '0'으로 시작한다. 예컨대, '我负责这里的事。(내가 이곳의 일을 책임진다.)'에서 주어 '我'의 앞에 관형어도 전치사도 나타나지 않았다. 이렇게 체언 성분은 관형어나 전치사의 확장 없이 핵만으로 실현될 수 있다.

중국어 해석문법은, 기능에 따라 '由류 전치사', '부사어류 전치사', '把류 전치사', '被류 전치사', '连 전치사'로 분류하고 차례대로 1번, 2번, 3번, 4번, 5번으로 표시한다. 이 외의 다른 가능성을 대비하여 '기타' 6번을 추가로 설정한다.

먼저, 1번으로 표시되는 '由'류 전치사는 행동의 주체를 나타내는 명사구 앞에 온다. 예를 들어, '(由)校长主持会议。(교장이 회의를 주재한다.)'에서 전치사 '由'가 문장에서 행동의 주체인 '校长' 앞에 실현될 수 있다.

문장이 기본 어순 SVO로 이루어졌을 때는 주어 명사구 앞에 위치한 전치사 '由'는 수의적으로 나타난다. 전치사 '由'가 실현되어도, 실현되지 않아도 모두 정문이다. 그러나 문장이 OSV 어순으로 변형될 경우, 주어 명사구 앞에 '由'는 반드시 실현되어 해당 명사구가 문장의 주어임을 나타낸다. 즉, '会议*(由)校长主持。'에서 주어인 '校长'이 원래 주어 위치가 아닌 변형된 위치에 나타날 경우에는 전치사 '由'가 반드시 나타나야 하고, 생략되었을 때는 비문이 된다. '由'류 전치사에는 '由, 归'가 있다.

중국어에서 '전치사+체언' 구성은 대개 문장에서 부사어로 쓰이는데, 이런 경우의 전치사를 2번으로 표시한다. 예를 들면, '他在书房看书。(그가 서재에서 책을 본다.)'에서 '在书房'은 부사어로 쓰이며, 이때 전치사 '在'는 '2'로 나타낸다.

'把'류 전치사는 3번이다. 문장 '张三骗了他。(장싼이 그를 속였다.)'에서 목적어 '他'가 서술어 앞에 놓일 때 전치사 '把'가 '他'와 결합하여 '张三把他骗了。(장싼이 그를 속였다.)'처럼 된다. 이러한 경우에서는 '把他'를 생략하면 문장이 비문이 되므로 중국어 해석문법에서는 이를 보어로 본다. '把'류 전치사에는 '把, 将, 管, 拿'가 있다.

'被'류 전치사는 4번이다. 전치사 '被'는 피동문에 나타나는데, '他被张三骗了。(그가 장싼에게 속았다.)'에서 볼 수 있다. 이때 '被张三(장싼에게)'을 생략하게 되면 비문이 되므로 중국어 해석문법에서는 이를 보어로 분석한다. '被'류 전치사에는 '被, 叫, 让, 给'가 있다.

마지막으로 전치사 '连'은 5번으로 표시한다. 이것은 문장의 주어, 목적어, 부사어 등에서 폭넓게 등장한다. 예를 들어, '连爷爷都笑

了。(할아버지조차도 웃었다.)'에서 '连'은 주어인 '爷爷' 앞에 놓여 있다. 또한 '你连张三都不认识?(너는 장싼조차도 모르는 거야?)'에서는 목적어 '张三' 앞에 '连'이 와 있다. 아울러 '我连一天也没休息。(나는 하루조차도 쉬지 않았다.)'에서는 부사어 '一天' 앞에 '连'이 와 있음을 볼 수 있다. 이러한 특성에 주목하여 중국어 해석문법은 전치사 '连'에 별도의 번호 '5'를 할당한다.

이상으로 표 (2)의 체언 성분의 정보 표시 내용을 모두 살펴보았다. 이해를 돕기 위하여 문장 '张三, 你朋友把黑板擦了。(장싼아, 네 친구가 칠판을 지웠다.)'를 분석하면 '$J_{0\text{-}2\text{-}0}A_{3\text{-}1\text{-}0}C_{0\text{-}1\text{-}3}E_{12}T_1S_1N_1$'이 되는데, 여기서 체언 성분만 자세히 풀이해 보기로 한다.

먼저 독립어 '张三'은 '$J_{0\text{-}2\text{-}0}$'으로 표시되는데, 여기서 'J'는 독립어임을 나타내고, 그 다음의 숫자들은 차례대로 '관형어 없음'(0), '고유명사'인 핵(2), '전치사 없음'(0)을 뜻한다. 주어(A) '你朋友'는 '$A_{3\text{-}1\text{-}0}$'으로 표시되며, 이는 차례로 '체언 단독의 관형어'(3), '보통명사인 핵'(1), '전치사 없음'(0)을 나타낸다. 보어(C) '把黑板'의 '$C_{0\text{-}1\text{-}3}$'은 관형어가 없고(0), 핵이 보통명사이며(1), 把류 전치사(3)가 쓰였음을 알려준다.

2.1.3 서술어 분석 틀

중국어 문장 분석에 필요한 세 번째 틀인 '서술어 정보 표시'를 소개한다. 표 (3)은 중국어 문장의 서술어 정보를 담고 있다.

(3) 서술어 정보 표시

서술어의 종류			서술어의 자릿수		补语(보어)의 종류	
1	자동사		1	1자리 술어	1	서술어와 인접한 방향补语(보어)
			2	2자리 술어		
			n	n자리 술어		
2	타동사		2	2자리 술어	2	서술어와 분리된 방향补语(보어)
			3	3자리 술어		
			n	n자리 술어		
3	형용사		1	1자리 술어	3	정도补语(보어) ('得'와 연결되지 않음)
			2	2자리 술어		
			n	n자리 술어		
4	비용언 : 체언	1	자동사성	실질서술어 (n자리 술어)	4	수량补语(보어)
		2	타동사성			
		3	형용사성			
5	비용언 : 기타	1	자동사성		5	전치사구 补语(보어)
		2	타동사성			
		3	형용사성			
6	조동사, 看		형식서술어		6	가능补语(보어)
7	是				7	상태补语(보어)
8	경동사 '进行, 作(做), 加以, 给以, 给予, 予以'					
9	피동 조동사 '被, 叫, 让, 给'					

서술어와 관련해서 살펴볼 것은 서술어의 종류, 서술어의 자릿수, 补语(보어)의 종류이다.

서술어의 종류

중국어 문장의 서술어에는 기본적으로 동사, 형용사가 있는데, 동사는 다시 자동사와 타동사로 나뉘어 자동사를 1번, 타동사를 2번, 그리고 형용사를 3번으로 표시한다. 이 외에도 주의를 기울여 분석해야 하는 서술어가 6가지 더 있다. 이 6가지 서술어에서 4번과 5번으로 표시되는 서술어는 실질서술어에 속하고 6번, 7번, 8번, 9번으로 표시되는 서술어는 형식서술어에 해당한다.

먼저 4번은 서술어로 쓰이는 체언을 가리킨다. 체언이 서술어로 쓰이기 위해서는 형식서술어 '是'의 도움이 필요한데 이러한 형식서술어를 7번으로 표시한다. 가령, '李四是美人。(리쓰는 미인이다.)'이라는 문장에서 주어 '李四'에 대한 서술어는 '是美人'이다. '是美人'는 '是'와 '美人'이 만나 이루어진 것으로서, 문장 '李四漂亮。(리쓰가 예쁘다.)'에서 홀로 서술어 역할을 하는 형용사 '漂亮'에 대응한다. 여기서 '美人'은 실질적인 의미를, '是'는 형식적인 기능을 담당하므로 '美人'을 실질서술어, '是'를 형식서술어라고 일컫는다. 그리고 형식서술어와 실질서술어로 이루어진 '是美人' 전체를 복합서술어라고 부르고, 하나의 실질서술어로만 되어 있는 '漂亮'을 단일서술어라고 부른다. 체언으로서 서술어 기능을 하는

'美人'을 4번으로 표시하고, '美人' 앞에 오는 '是'를 7번으로 표시
한다.

'是' 뒤에는 체언 뿐만 아니라 다른 품사도 올 수 있다. 예를 들면,
'她惊讶地喊出的是哎呀。(그녀가 놀라며 외친 것은 어머였다.)'에
서 주어 '她惊讶地喊出的'에 대한 서술어는 '是哎呀'이다. 여기서
형식서술어 '是' 뒤에 놓인 '哎呀'는 감탄사로서, 체언도 아니고 용
언도 아니다. 이처럼 체언도 아니고 용언도 아니면서 실질서술어
기능을 하는 성분을 5번으로 표시해 준다. 정리하면, '是' 뒤에 오
는 체언은 4번, 기타 품사는 5번으로 구별하여 표시한다.

체언이 서술어가 될 때 짝이 되는 형식서술어에는 7번 말고도 8번
으로 표시되는 경동사[13) '进行, 作(做), 加以, 给以, 给予, 予以'
가 있다. 가령, '张三对这些问题进行分析。(장싼이 이런 문제에 대
해 분석한다.)'에서 형식서술어는 '进行'이고 실질서술어는 '分
析'[14)이다.

---

13) 해석문법에서의 경동사(light verb)는 重動詞와 對比되는데, 實質的인
意味가 없고 意味役도 割當할 수 없는 동사류이다(김의수 2007:56).
해석문법의 경동사와 대비되는 동사를 중국어에서는 형식동사라는 명
칭을 주로 사용한다. 중국어의 형식동사는 구체적인 의미를 나타내지
않고 형식적으로만 서술어의 역할을 하고 있으며 후행하는 성분이
전체적인 의미 정보를 책임지고 있다.
14) 경동사에 후행하는 성분을 '동명사'라고 하는데, 朱德熙(1985:60)에
서는 동사와 명사의 속성을 모두 지니지만 형식동사에 후행할 경우,
명사적 특징을 지닌다고 하였다.

표 (3)을 보면, 형식서술어 7번과 8번 뒤에 오는 실질서술어 4번과 5번에 대해서 추가적으로 결정해야 할 정보가 하나 더 있다. 그것은 바로 실질서술어들의 '자동사성, 타동사성, 형용사성'이다. 앞에서 등장한 실질서술어 '美人', '分析'는 체언으로서 4번에 해당되며, 각각 '형용사성', '자동사성'을 지닌다. 그리고 '哎呀'는 감탄사로서 5번에 속하며, '형용사성'으로 분류된다.

6번으로 표시되는 형식서술어에는 '看'15)과 '조동사'가 있다. 7번이나 8번 형식서술어는 주로 체언과 같은 실질서술어 뒤에 오지만, 동사 '看'은 동사구 등 용언 뒤에 후행한다. 예를 들면, '你说说看最近的工作进展。(최근 업무 진행 상황을 한 번 말해 보세요.)'에서 '看'은 형식서술어이고 중첩된 동사16) '说说'는 실질서술어이다. 형식서술어 '看'은 실질서술어 뒤에 오지만 조동사는 실질서술어 앞에 온다. 예컨대, '大家应该提高警惕。(모두가 경각심을 높여야 한다.)'에서 조동사 '应该'를 6번으로 표시한다.

---

15) 『现代汉语词典(현대한어사전)』에는 '어기조사'로 등재되어 있지만, 그 외 사전들에서는 공히 '동사'로 보고 있다. 이에 중국어 해석문법에서는 '看'을 동사로 간주하며 더 구체적으로는 형식서술어로 파악한다.

16) 형식서술어 '看'이 쓰일 때, 본문에 제시된 경우처럼, 앞의 실질서술어가 중첩된 형식을 보이거나, 또는 앞의 실질서술어가 중첩된 형식으로 쓰이지 않을 경우에는 형식서술어 '看'이 중첩되어 쓰이는 것을 볼 수 있다. 가령, '你先实施看看。(먼저 실행해 보세요.)'에서 실질서술어인 '实施'가 중첩되어 있지 않자, 형식서술어 '看'이 중첩되어 나타나는 것을 볼 수 있다.

9번으로 표시되는 형식서술어에는 피동 조동사 '被、叫、让、给'가 있다. 이러한 피동 조동사는 자릿수를 줄이는 기능을 담당한다. 가령, '我说服了他。(내가 그를 설득했다.)'를 피동문으로 바꾸면 '他被说服了。(그가 설득됐다.)'가 된다. 본래 '说服'는 '타동사, 2자리' 서술어로서, 주어와 목적어를 필요로 한다. 그런데 '说服' 앞에 피동 조동사 '被'가 결합하면, 원래의 주어인 '我'는 사라지고 목적어였던 '他'가 주어가 된다. 이렇게 논항의 개수가 2개에서 1개로 줄어든 것은, 피동 조동사 '被' 때문이다. 이렇게 자릿수를 하나 줄이는 피동 조동사를 중국어 해석문법에서는 9번으로 표시하는 것이다.

서술어의 자릿수

앞에서 여러 차례 등장했듯이, 서술어의 자릿수란 서술어가 취하는 필수성분(논항)의 개수를 뜻한다.[17] 서술어에 따라서는 주어 하나만 취하는 것도 있지만, 주어 이외에도 목적어나 보어 중 어느 하나를 더 요구하거나 둘 다를 모두 요구하기도 한다.

문장 분석에서 서술어의 자릿수를 결정하는 것은 매우 중요한데, 중국어의 경우 이에 관한 정보를 직접적으로 제시해 주는 사전이 없다.[18] 따라서 중국어 서술어의 자릿수를 파악하기 위해서는 『现

---

17) 이와 관련하여 김의수(2023:56)의 서술어 자릿수 정의를 참고할 수 있다.
18) 한국어의 경우에는 국립국어원의 『표준국어대사전』이 제공하는 동사,

代汉语词典(현대한어사전)』, 『现代汉语规范词典(현대한어규범사전)』, 『고려대 중한사전』과 같은 주요 사전에 나와 있는 표제어 뜻풀이를 참고하거나 '北京大学CCL现代汉语语料库(북경대학CCL현대한어말뭉치)'의 말뭉치 자료 검색, 혹은 서술어의 논항 및 자릿수 관련 논문을 검토하는 작업이 필요하다. 여기서 주의해야 할 것은, 사전이나 학자들에 따라 서술어 자릿수에 대한 판단이 각기 다를 수 있으므로 실제 문장 분석에서 일관된 분석의 기조를 유지하는 것이 중요하다.

서술어의 주변 정보: 补语(보어)의 종류

이제 서술어의 우측에 위치한 补语(보어)의 종류[19]를 살펴보기로 한다. 补语(보어)는 서술어의 의미를 보충하여 설명해 주므로 서술어 자체의 정보가 아닌 주변 정보로 보는 것이 합리적이다.

补语(보어)의 종류에서 방향补语(보어)는 오직 단일 방향补语(보어)만을 가리키며,[20] 그것은 다시 서술어와의 인접성 여부에 따라 인접

형용사의 격틀 정보를 통해 비교적 수월하게 이를 파악할 수 있다.

19) 중국어에는 서술어와 补语(보어)를 연결해주는 '得'가 있는데, '得'가 필수적으로 나타나는 경우와 수의적으로 나타나는 경우, 그리고 나타나지 않는 경우로 나뉜다. 중국어 해석문법에서는 형식적인 기준에 초점을 맞춰 补语(보어)를 크게 '得'로 연결되는 补语(보어)와 그렇지 않은 补语(보어)로 나눈다. '得'로 연결되지 않는 补语(보어)에는 방향补语(보어), 정도补语(보어), 수량补语(보어), 전치사구 补语(보어)가 있고, '得'로 연결되는 补语(보어)에는 가능补语(보어)와 상태补语(보어)가 있다.

한 경우(1번), 분리된 경우(2번)로 구별된다.

예를 들면, '张三拿来了一本书。(장싼이 책 한 권을 가져왔다.)'는 서술어 '拿' 뒤에 방향补语(보어) '来'가 결합한 예이다. 이때 방향补语(보어) '来'가 서술어에 인접하여 실현되어 있기 때문에 1번으로 표시한다. 앞의 예문은 다시 '张三拿一本书来了。(장싼이 책 한 권을 가지고 왔다.)'로도 쓰일 수 있는데, 이때 방향补语(보어) '来'는 목적어 뒤에 실현되어 서술어와 분리된 경우에 해당하므로 2번으로 표시한다.

3번은 정도补语(보어)이며 이것은 得와 연결되지 않는 것이다. 정도补语(보어)에는 '极, 透, 死, 坏, 多, 远, 着了, 去了'가 있다. (刘月华等 2007:607) 예를 들면, '我们高兴极了。(우리는 매우 기뻤다.)'에서 '极'가 정도补语(보어)에 해당한다.

4번은 수량补语(보어)이고, 5번은 전치사구 补语(보어)이다. 예컨대, '灯亮了一下。(등이 한 번 반짝였다.)'에서 '一下'가 수량补语(보어)이므로 4번으로 표시한다. 그리고 '我们要走向胜利。(우리는 승리를 향해 나아가야 한다.)'에서 '向胜利'는 전치사구 补语(보어)이므로 5번으로 표시한다.

---

20) 흔히 방향补语(보어)를 단일 방향补语(보어)와 합성 방향补语(보어)로 나누기도 하는데, 여기서는 합성 방향补语(보어)를 단일 방향补语(보어)로 해체하여 분석한다. 이에 관하여서는 3장에서 상술한다.

이제까지 살펴본 1번부터 5번의 补语(보어)들은 '得'로 연결되지 않고 서술어에 직접 결합하는 것들이다. 여기에는 결과补语(보어)가 포함되지 않는다.

중국어의 '서술어-결과补语(보어)' 구성은 매우 생산적이며 하나의 단어로 어휘화하는 경향이 있다. 또한 상당수의 '서술어-결과补语(보어)' 구성이 하나의 단어로 사전에 수록되어 있기도 하다. 이러한 점에 착안하여, 중국어 해석문법에서는 '서술어-결과补语(보어)' 구성을 하나의 단어(복합어)로 간주한다.[21)]

'得'로 연결되는 补语(보어)에는 가능补语(보어)와 상태补语(보어)가 있다. 가능补语(보어)는 6번이고, 상태补语(보어)는 7번이다. 예를 들어, '我吃得完一碗面。(나는 면 한 그릇을 다 먹을 수 있다.)'은 가능补语(보어)인 '完'이 '得'에 의해 서술어와 연결된 경우이다. 이때, '完'의 정보를 풀어서 표시해 주어야 하는데, 이에 대한 자세한 설명은 3장에서 이루어진다.

이어서 상태补语(보어)의 예를 살펴보기로 한다. '张三每天工作得

---

21) 여기서 짚고 넘어가야 할 것은, 사전에 하나의 단어로 등재되지 않은 '서술어-결과补语(보어)' 구성이다. 중국어 해석문법에서는 이와 같은 구성 역시 하나의 단어(복합어)로 처리한다. 이러한 구성은 매우 생산적이어서 어떤 것은 등재되어 있기도 하지만 다른 것은 미처 등재되지 못하기도 하는 것이다.

很晩。(장싼은 매일 늦게까지 일한다.)'에서는 상태补语(보어)인 '很晩'이 '得'에 의해 서술어와 연결되어 있다. 이때, '很晩'의 정보를 풀어서 표시해 주어야 하는데, 이에 대한 설명 역시 3장에서 이루어질 것이다.

서술어 정보의 표시

이상으로 표 (3)의 서술어의 세 가지 정보를 모두 살펴보았다. 이제 이러한 정보를 활용하여 서술어의 문법적 특성을 간명하게 나타내는 방법을 예시하기로 한다.

먼저 '李四漂亮。(리쓰가 예쁘다.)'에서 서술어 '漂亮'은 '형용사, 1자리'이므로 'E_{31}'로 표시한다. 그리고 여기에 대응되는 문장 '李四是美人。(리쓰는 미인이다.)'의 서술어는 '是美人'이다. 이때, 형식서술어 '是'는 'E_7'로 표시하고, 실질서술어 '美人'은 체언으로서 '형용사성, 1자리'이므로 'E_{431}'로 표시한다. 여기서 중요한 것은, '美人'은 비록 서술어로 기능할지라도 여전히 체언이므로 '관형어 정보, 핵 정보, 전치사 정보'를 가지므로 이 정보도 함께 표시해 주어야 한다는 점이다. 이를 숫자로 표시하면 '0-1-0'이 된다. '美人'의 서술어 정보와 체언 정보를 합치면 '$E_{431}\langle 0\text{-}1\text{-}0\rangle$'이 되는데, 이때 서술어 정보와 체언 정보를 구분해 주기 위해 체언 정보의 좌우에 '⟨, ⟩'를 넣는다는 점에 유의해야 한다. 이상의 내용을 종합하면, 서술어 '是美人'의 정보는 '$E_7 E_{431}\langle 0\text{-}1\text{-}0\rangle$'으로 표시된다.

이어서, 실질서술어가 관형어나 전치사를 가지는 경우의 예를 살펴 보기로 한다. 가령, '他是我的学生。(그는 나의 학생이다.)'에서 형 식서술어 '是'는 'E_7'이고 실질서술어 '我的学生'의 서술어 정보는 'E_{431}'이다. 체언 정보를 추가적으로 분석하면, 관형어인 '我的'는 '체언+的'이므로 4번이고, 핵인 '学生'은 보통명사이므로 1번이며, 전치사가 없으므로 0번으로 표시하여 '$E_{431<4\text{-}1\text{-}0>}$'이 된다. 이렇듯 명사는 비록 그것이 서술어로 쓰이더라도 체언 성분이 갖출 수 있 는 모든 정보를 빠짐없이 지닐 수 있다. 정리하면, 주어 '他'에 대 한 서술어 '是我的学生'은 '$E_7 E_{431<4\text{-}1\text{-}0>}$'으로 표시된다.

계속해서, '她惊讶地喊出的是哎呀。(그녀가 놀라며 외친 것은 어 머였다.)'에서 복합서술어 '是哎呀'를 볼 수 있다. 형식서술어 '是' 는 'E_7'이고, 실질서술어 '哎呀'는 감탄사로서 체언도, 용언도 아닌 것이 서술어 노릇을 하므로 'E_5'가 된다. 그리고 '哎呀'는 '형용사 성, 1자리' 서술어로 간주할 수 있으므로 '31'을 추가하여 'E_{531}'로 표시한다. 이때 감탄사는 체언이 아니므로 체언 성분의 정보 표시 를 고려할 필요가 없다. 이상의 내용을 종합하면, 서술어 '是哎呀' 는 '$E_7 E_{531}$'로 표시된다.

'张三对这些问题进行分析。(장싼이 이런 문제에 대해 분석한다.)' 의 서술어 '进行分析'의 정보는 '$E_8 E_{412<0\text{-}1\text{-}0>}$'이다. 여기서 '进行' 은 경동사이므로 '$E_8$'이다. 체언 서술어 '分析'는 '자동사성, 2자리'

이므로 'E$_{412}$'이고, 체언 정보는 관형어와 전치사를 취하지 않은 보통명사이므로 '<0-1-0>'으로 표시할 수 있다.

이어서, 능동문 '我说服了他。(내가 그를 설득했다.)'의 서술어 '说服'는 '타동사, 2자리'이므로 'E$_{22}$'로 표시한다. 마찬가지로 피동문 '他被说服了。(그가 설득됐다.)'에서의 서술어 '说服'의 정보도 'E$_{22}$'이다. 다만, 서술어 앞에 쓰인 피동 조동사 '被'가 서술어의 자릿수를 줄이는 'E$_9$'로 표시되어야 함에 유의해야 한다. 그래야만 전체 피동문이 주어만을 논항으로 요구하는 자동사문처럼 쓰이고 있음을 제대로 나타내 줄 수 있기 때문이다.

마지막으로, '张三拿来了一本书。(장싼이 책 한 권을 가져왔다.)'에서 '拿'는 '타동사, 2자리' 서술어이므로 'E$_{22}$'로 표시한다. 그리고 방향补语(보어) '来'가 서술어 뒤에 인접하여 나타났기 때문에 '1'을 추가로 표시해 주어, 'E$_{22-1}$'이 된다. 이때, 补语(보어)는 서술어의 주변 정보이기 때문에 '-'을 사용하여 서술어 자체의 정보와 구별하여 표시한다. 이어서, '张三拿一本书来了。(장싼이 책 한 권을 가져왔다.)'의 서술어 정보는 'E$_{22-2}$'인데, 방향补语(보어) '来'는 목적어에 의해 서술어와 분리되어 있으므로 2번으로 표시했다.

2.1.4 양태성분 분석 틀

중국어 문장 분석에 필요한 4개의 틀 가운데 마지막 틀인 '양태성분의 정보 표시'를 소개한다. 표 (4)는 중국어 문장의 양태성분 정보들을 담고 있다.

(4) 양태성분의 정보 표시

	시제(T)	상(S)		태도(M)	종결(N)	
1	과거	완료	1	당위	평서	1
2	현재	진행	2	추측/가능성	의문	2
3	미래	예정	3	시도	명령	3
4		기동	4	부정	감탄	4
			5	사동		
			6	피동		

※ 시제(T)와 상(S)의 형식:
　　了[1](과거+완료), 了[2](현재+기동), 过[1](과거+완료), 来着(과거+완료), 着[1](과거+현재+진행), 着[2](과거+현재+완료), '미래+예정'(愿, 愿意, 要[1], 想要, 肯)

※ 상(S)의 형식:
　　진행(2): 下来, 下去
　　기동(4): 起来

※ 태도(M)의 형식:
　　당위(1): 应, 该[1], 应该, 应当, 要[2](须要, 应该), 得
　　추측/가능성(2): 可能, 能, 能够, 会, 可以, 可, 该[2]
　　시도(3): 看, 过[2](과거+시도)
　　부정(4): 不, 没, 别, 甭
　　사동(5): 使, 叫[1], 让[1], 给[1], 把
　　피동(6): 被, 叫[2], 让[2], 给[2]

시제와 상

양태성분 가운데 시제와 상은 공히 사건의 시간적 특성을 나타낸다. 시제(T)는 시간의 외적 양상을 표시하며 과거(1번), 현재(2번), 미래(3번)로 구분한다. 상(S)은 시간의 내적 양상을 표시하며 완료(1번), 진행(2번), 예정(3번), 기동(4번)으로 나눈다.

시제와 상은 별도의 문법범주로서 각각 독립적인 문법 형식을 통해 실현되는 것으로 기대할 수 있다. 예컨대, 한국어가 그렇다. 그러나 중국어 문장에서는 하나의 문법 형식이 시제와 상 모두를 동시에 표시하는 경우가 적지 않다.[22] 하나의 문법 형식이 두 가지 문법범주를 담고 있는 경우로는 '了[1]'(과거+완료: T_1S_1), '了[2]'(현재+기동: T_2S_4), '过[1]'(과거+완료: T_1S_1), '来着'(과거+완료: T_1S_1), '미래+예정: T_3S_3'(愿, 愿意, 要[1], 想要, 肯)'이 있고, 세 가지 문법범주를 담고 있는 경우로는 '着[1]'(과거+현재+진행: $T_{12}S_2$), '着[2]'(과거+현재+완료: $T_{12}S_1$)가 있다. '起来'(기동: S_4)와 '下来/下去'(진행: S_2)는 하나의 문법 형식이 하나의 문법범주를 표시하는 경우라 할

---

22) 중국어의 시제와 상에 대한 다양한 입장이 있는데, 중국어에는 시제는 없고 상만 있다는 주장(吕叔湘 1980, 王力 1985, 朱德熙 1982, 龚千炎 1994, 潘文国 1997, 戴耀晶 2001 등)과, 시제와 상이 별개로 있다는 주장(沈家煊 1991, 刘丹青 2003 등), 그리고 하나의 문법 형식이 시제와 상을 동시에 표시한다는 주장(刘月华 1983, 黄伯荣 1988, 张济卿 1996, 李铁根 1999, 李大德 2000, 陈立民 2002, 沈家煊 외 2005, 张谊生 2005 등)이 있는데, 중국어 해석문법은 세 번째 주장에 입각하여 분석한다.

수 있다.

태도

양태성분 가운데 태도[23]는 화자의 심리적 태도를 나타내는 문법 범주로서, 중국어에서는 주로 조동사에 의해 실현되지만, 일부 전치사나 동태조사, 부사가 등장하기도 한다. 태도에 해당하는 것은 모두 6가지이다. 먼저 1번 '당위'에 해당하는 형식에는 '应, 该[1], 应该, 应当, 要[2](须要, 应该), 得'가 있다. 2번 '추측/가능성'의 형식은 '可能, 能, 能够, 会, 可以, 可, 该[2]'이며, 3번 '시도'의 형식은 '看, 过[2](과거+시도)'이다. 4번 '부정'의 형식은 '不, 没, 别, 甭'이고, 5번 '사동'의 형식은 '使, 叫[1], 让[1], 给[1], 把'이며, 6번 '피동'의 형식은 '被, 叫[2], 让[2], 给[2]'이다.

4번 '부정'의 형식인 '不, 没, 别, 甭'은 모두 부사로서, 어휘가 문법범주를 나타내고 있는 특수한 경우이다. 이러한 어휘들은, 부정문에서만 등장하는 부정극어를 허가해 줄 수 있다. 예컨대, '什么也不

---

23) 김의수(2023:72)에 의하면, 태도는 또한 양태라고도 불리는데, 이 '양태'라는 용어를 사용하게 되면 '명제'와 대립하는 '양태'와 혼동되기 쉽다고 하였다. 양태는 '광의의 양태'와 '협의의 양태'로 나뉘는데, 광의의 '양태'는 '명제'와 대립되는 개념이고, 협의의 '양태'는 광의의 '양태' 안에서 화자의 심리적 태도를 표시한다. 한국어 해석문법에서는 명제와 대립하는 것을 '양태'로, 양태 안에서 화자의 심리적 태도를 표시하는 것을 '태도'로 구별한다. 중국어 해석문법 역시 한국어 해석문법과 같은 입장을 취한다.

知道。', '任何事也没发生。', '一个字也别说。', '哪儿都甭去。'
에서 밑줄 친 '什么, 任何, 一个~也, 哪儿'은 부정극어(否定极性
项, negative polarity items: 부정의 상황을 극단적을 표현하는 말)
이며, 부정 부사 '不, 没, 别, 甭'이 없으면 비문이 된다.

종결

양태성분 가운데 종결은 문장 전체의 성격과 유형을 가리키며 평서
(1번), 의문(2번), 명령(3번), 감탄(4번)으로 나뉜다. 언어에 따라서
는 종결의 하위 유형을 독자적인 문법 형식이 개별적으로 구별하여
드러내기도 한다. 한국어의 격식체 종결어미가 그러하다. 그러나 한
국어의 비격식체 종결어미에서는 그렇지 못하다. 중국어 문장에서
도 상황은 비슷하여 구어에서는 억양을 통해, 문어에서는 앞뒤 문
맥을 통해 해당 문장의 종결 유형을 파악할 수밖에 없다.

2.1.5 기타 정보 분석 틀

앞에서 네 개의 문장 분석 틀을 통해 중국어 문장 분석의 핵심적인
통사 정보를 모두 살펴보았다. 그런데 표 (1)에서 아직 다루어지지
않은 부분이 있는데, 바로 '기타' 항목이다. '기타'에는 부호(P), 인
용(Q), 단독(X)이 있는데, 먼저 부호(P)에 대해 살펴보기로 한다.

부호

중국어 해석문법에서 중요하게 참고하는 부호는 마침표로 사용되는 고리점 '。', 물음표 '?', 느낌표 '!'가 있는데, 각기 1번, 2번, 3번으로 표시한다. 그 밖의 부호는 모두 4번으로 표시한다. 여기서 고리점이 평서문의 표지로만 쓰이는 게 아니라는 점에 유의해야 한다. 즉, 고리점은 평서문, 명령문에서도 쓰일 수 있다. 물음표도 의문문에서만 쓰이는 것이 아니다. 반어법의 경우, 평서문에 속하지만 물음표를 사용한다. 느낌표도 평서문, 명령문, 감탄문에 두루 다 쓰일 수 있다는 점에 주의해야 한다.

인용

이어서 인용에 대해 살펴보기로 한다. 인용은 어떤 문장이 직접 인용됨을 표시해 준다. 직접 인용의 여부와 그 인용된 내용의 위치에 따라 표시 방법이 다르다. 먼저 문장 전체가 직접 인용된 경우, 문장 앞에 'Q$_{11}$'을 표시한다. 직접 인용된 문장이 2개인 경우, 첫 번째 문장 앞에 'Q$_{10}$'을, 두 번째 문장 앞에 'Q$_{01}$'을 표시한다. 여기서 'Q' 다음에 오는 숫자는 인용 부호의 존재 유무를 뜻한다. '1'은 인용 부호가 있다는 것을 의미하고 '0'은 인용 부호가 없다는 것을 의미한다. 만약 직접 인용된 문장이 3개라면, 첫 번째 문장 앞에 'Q$_{10}$', 가운데 문장 앞에 'Q$_{00}$', 마지막 문장 앞에 'Q$_{01}$'을 표시한다. 이때 'Q$_{00}$'은 직접 인용된 문장이지만 문장 앞과 뒤에 인용 부호가 없다는 것을 의미한다.

단독

마지막으로 단독에 대해 살펴보기로 한다. 단독은 문장에서 하나의 문장성분처럼 보이지만 적절한 문법기능이 없어 그렇게 취급하기 힘든 것을 가리킨다(김의수 2023:79).

예컨대, '大象鼻子长。(코끼리가 코가 길다.)'에서는 '大象'과 '鼻子'가 둘 다 주어처럼 보인다. 서술어 '长'은 '형용사, 1자리'이기 때문에 두 개의 성분 중 하나만 주어가 될 수 있다. 논리적으로 '鼻子长'인 것이지 '大象长'인 것은 아니므로, 주어는 '鼻子'라고 할 수 있다. 이때, 나머지 성분 '大象'이 어떠한 문법기능을 갖는 것인지가 문제로 남는다.

하나의 대안으로, 중국어 전통문법에서 기술하는 '主谓谓语句'를 설정해 볼 수 있다. 즉, 주어와 서술어로 구성된 '鼻子长'이 주어 '大象'의 서술어로 기능하며, 이때 '大象'을 대주어, '鼻子'를 소주어로 분석하는 것이다.

또 다른 대안으로 '大象'을 주제어로 보는 것이 가능하다. '大象鼻子长。'에서 서술어 '长'이 '형용사, 1자리'이므로 '鼻子'가 주어이고 '大象'은 주제어가 되는 것이다. 이때, 주제어는 통사적 차원이 아닌 담화화용 층위에서 유효한 개념이므로 중국어 해석문법에서는 이를 문법기능이 없는 'X'(단독)로 분석한다. 이와 같은 분석은 한국어 해석문법과 궤를 같이한다.

'X'는 주어처럼 생겼는데 주어가 아닌 경우 외에도 목적어처럼 생겼는데 목적어가 아닌 경우, 그 자체가 홀로 등장하는 것 등의 분석에서 매우 유용하게 쓰일 수 있다.

2.2 중국어 문장 분석 틀의 적용

이 절에서는 앞에서 보았던 분석 틀들을 다양한 상황에 적용해 봄으로써 중국어 문장 분석의 기본기를 익힐 것이다. 2.1절에서 논의한 순서와 같이 2.2절에서도 '체언 성분의 정보 표시 사례'(2.2.1절), '서술어의 정보 표시 사례'(2.2.2절), '양태성분의 정보 표시 사례'(2.2.3절)의 순으로 분석의 예를 살펴보기로 한다. 2.2.3절까지 단문 중심의 정보 표시의 사례를 다룬다면, 2.2.4절에서는 내포문을 포함한 복문의 정보 표시 사례를 검토한다. 먼저 체언 성분의 정보 표시 사례를 살펴보기로 한다.

2.2.1 체언 성분의 정보 표시 사례

체언 성분의 정보 표시 사례에서는 '비확장', '단순 확장', '다중 확장'의 다양한 사례를 순서대로 논의하기로 한다.

비확장

(5) 비확장의 정보 표시 사례

　　爸爸, 我要吃饭。

　　⇒ $J_{0\text{-}1\text{-}0}$　$A_{0\text{-}4\text{-}0}$　$B_{0\text{-}1\text{-}0}$

문장 (5)에서 체언 성분에 해당하는 문장성분은 '爸爸', '我', '饭'
이다. '爸爸'는 독립어 J이고, '我'는 주어 A이며, '饭'은 목적어
B이다. 먼저 독립어 '爸爸'는 보통명사(1번)이고, 그 앞에 관형어나
전치사가 없으므로 '$J_{0\text{-}1\text{-}0}$'으로 표시한다. 그리고 주어 '我'도 핵만
보이고, 그것이 인칭대명사(4번)이므로 '$A_{0\text{-}4\text{-}0}$'으로 표시한다. 마지
막으로 목적어 '饭'도 보통명사(1번)인 핵만 있기 때문에 '$B_{0\text{-}1\text{-}0}$'으
로 표시한다.

단순 확장

이어서, 핵의 왼쪽에 관형어나 전치사가 등장하는 경우를 살펴보기
로 한다.

(6) 단순 확장의 정보 표시 사례1

　　只有张三卖出去了大型轿车。

$\Rightarrow A_{2\text{-}2\text{-}0} \ B_{1\text{-}1\text{-}0}$

문장 (6)에서 체언 성분에 해당하는 것은 '只有张三'과 '大型轿车'이다. '只有张三'은 주어 A이고, '大型轿车'는 목적어 B이다. 먼저 주어 '只有张三'에서 핵인 '张三'은 고유명사(2번)이고 부사 '只有'(2번)가 관형어로 쓰였으므로, '$A_{2\text{-}2\text{-}0}$'으로 표시한다. 이어서 목적어 '大型轿车'에서 핵인 '轿车'는 보통명사(1번)이고 구별사 '大型'(1번)이 관형어로 쓰였으므로 '$B_{1\text{-}1\text{-}0}$'으로 표시한다.

(7) 단순 확장의 정보 표시 사례2

　　你朋友应该为大家着想。

　　$\Rightarrow A_{3\text{-}1\text{-}0} \ C_{0\text{-}1\text{-}2}$

문장 (7)에서 체언 성분에 해당하는 것은 '你朋友'와 '为大家'이다. '你朋友'는 주어 A이고, '为大家'는 보어 C이다. 동사 '着想'은 '누가 누구(무엇)를 위해 생각하다, 계획하다(为某事或某人的利益而考虑, 计划)'와 같이 쓰이는데 여기에서 '누가'는 주어, '누구(무엇)를 위해'는 보어이다. 문장 (7)에서 '你朋友'는 '누가'에 해당하고, '为大家'는 '누구를 위해'에 해당한다. 주어 '你朋友'의 경우, 핵인 '朋友'는 보통명사(1번)이고, 체언 '你'(3번)가 관형어로 쓰였고 전치사는 없으므로, '$A_{3\text{-}1\text{-}0}$'이다. 보어 '为大家'는 핵인 '大家'가 보통명사(1번)이고, 관형어는 없으며, 전치사 '为'(2번)가 쓰였으므로 '$C_{0\text{-}1\text{-}2}$'로 표시한다.

(8) 단순 확장의 정보 표시 사례3

　　张三 和女朋友分手了。

　　⇒ $A_{0\text{-}2\text{-}0}$　$C_{1\text{-}1\text{-}2}$

문장 (8)에서 체언 성분은 '张三'과 '和女朋友'이다. '张三'은 주어
A이고 '和女朋友'는 보어 C이다. 주어 '张三'은 핵만 있고 그것은
고유명사(2번)이므로 '$A_{0\text{-}2\text{-}0}$'이 된다. 보어 '和女朋友'는 관형어와
전치사가 모두 나타난 경우이다. 즉, 핵인 '朋友'는 보통명사(1번)
이고, 구별사 '女'(1번)가 관형어로 쓰였으며, 전치사 '和'(2번)가
등장하므로 '$C_{1\text{-}1\text{-}2}$'로 표시한다.

다중 확장

단순 확장에서는 관형어나 전치사가 하나씩만 오는 사례들을 살펴
보았다. 계속해서, 관형어나 전치사가 둘 이상 오거나 관형어가 또
다른 관형어의 수식을 받는 등 복잡한 체언 성분에 대해 예시하기
로 한다.

(9) 다중 확장의 정보 표시 사례1

　　张三 在老师的办公室里 对李四进行了两次采访。

　　⇒ $A_{0\text{-}2\text{-}0}$　$D_{43\text{-}1\text{-}2}$　$C_{0\text{-}2\text{-}2}$

문장 (9)에서 체언 성분은 주어 '张三'과 보어 '对李四', 부사어 '在老师的办公室里'이다. 주어 '张三'은 고유명사(2번)가 핵이므로 'A_{0-2-0}'이고, 보어 '对李四'는 핵이 고유명사(2번)이고, 전치사 '对'(2번)가 왔으므로 'C_{0-2-2}'로 표시한다. 부사어 '在老师的办公室里'에서 핵인 '里'는 보통명사 1번이고, 두 개의 관형어 '老师的'와 '办公室'가 핵을 수식하며, 관형어 앞에 전치사 '在'가 온다. 이를 차례대로 표시하면, 관형어 '老师的'는 '체언+的'이므로 4번, '办公室'는 체언이므로 3번, 전치사 '在'는 2번이다. 이를 종합하면 부사어 '在老师的办公室里'는 'D_{43-1-2}'가 된다.

이어서 체언 성분에서 관형어가 또 다른 관형어의 수식을 받는 경우의 예를 살펴보기로 한다.

(10) 다중 확장의 정보 표시 사례2

　　<u>那人的弟弟</u>是我们的客户?!

　　$\Rightarrow A_{4<3>-1-0}$

문장 (10)에서 체언 성분은 주어 '那人的弟弟'이다. 여기에서 핵은 '弟弟'이고 그 앞의 관형어는 '那人的'인데. 이때, 관형어 내부에 다시 관형어가 등장한다. 즉, '那'가 '人'을 수식하는 것이다. 이를 도식화하면 '[[那]人的]弟弟'가 된다. 이때, 핵인 '弟弟'의 왼쪽에 놓인 것은 '人的'인데, 이는 '체언+的' 구성으로서 4번이다. 그리고 내부에 '人'을 수식하는 '那'는 체언이므로 3번으로 표시한다.

즉, '那'의 정보 3번은 '人的'의 정보 4번에 딸린 것이 되는데, 이를 '4<3>'처럼 나타낸다. 이를 체언 핵을 수식하는 관형어는 4번이고, 그 4번을 수식하는 것은 3번이라고 읽는다. 이를 종합하면, 주어 '那人的弟弟'의 정보는 '$A_{4<3>-1-0}$'이 된다.

(11) 다중 확장의 정보 표시 사례3

<u>张三</u>看了一下<u>男孩子手背上的伤口</u>。

⇒ A_{0-2-0} $B_{4<3<3<1>>>-1-0}$

문장 (11)에서 체언 성분은 주어 '张三'과 목적어 '那孩子手背上的伤口'이다. 주어 '张三'은 고유명사 핵만 있으므로 'A_{0-2-0}'이다. 목적어 '那孩子手背上的伤口'의 핵은 '伤口'이고 그걸 수식하는 관형어는 내부에 계층적으로 또 다른 관형어들을 갖는다. 이를 도식으로 나타내면 '[[[[男]孩子]手背]上的]伤口'이다. 여기서 핵인 '伤口'(1번)를 직접 수식하는 관형어는 '上的'(4번)이고, '上'을 수식하는 것은 '手背'(3번)이며, '手背'를 수식하는 것은 '孩子'(3번)이고, '孩子'를 수식하는 것은 '男'(1번)이다. 이를 정리하여 표시하면 '4<3<3<1>>>'이다. 이상의 내용을 종합하면, 목적어 '那孩子手背上的伤口'는 '$B_{4<3<3<1>>>-1-0}$'이 된다.

2.2.2 서술어의 정보 표시 사례

지금까지 문장 (5)~(11)을 통해 체언 성분 표시의 방법을 유형별로 살펴보았다. 앞에서 등장한 예문들의 서술어 정보를 아직 다루지 않았는데, 본 절에서는 이들 문장의 서술어를 분석하면서 서술어의 종류와 특성을 표시하는 방법을 논의하기로 한다.

(12) 爸爸, 我要吃饭。 (=5)

　　가. J_{0-1-0} A_{0-4-0} B_{0-1-0}

　　나. E_6E_{22}

문장 (12)는 앞절에서 다루었던 문장 (5)를 그대로 가져온 것이다. (12가)는 문장 속의 체언 성분을 분석하여 표시한 것이고, (12나)는 서술어 정보를 나타낸 것이다. 아래의 (13)~(18) 역시 공히 (12)와 같은 방식으로 분석을 진행하기로 한다.

문장 (12)에서 조동사 '要'는 6번이므로, 'E_6'으로 표시하고, 서술어 '吃'는 타동사(2번)이고, 2자리(2번)이며, 서술어의 우측에 补语(보어)가 오지 않았으므로 'E_{22}'로만 표시한다.

(13) 只有张三卖出去了大型轿车。 (=6)

　　가. A_{2-2-0} B_{1-1-0}

　　나. E_{22-1}

문장 (13)에서 복합서술어 '卖出'[24]의 오른쪽에 방향补语(보어)

────────────────

24) '卖出'는 동사'卖'에 결과补语(보어)로 쓰인 '出'가 결합한 복합서술

'去'가 인접해 있다. '卖出'는 '타동사(2번), 2자리(2번)' 서술어이
므로 'E_{22}'로 표시하고, 서술어와 인접한 방향补语(보어)가 있으므
로 서술어의 정보 옆에 '1'을 더하여 'E_{22-1}'이 된다. 방향补语(보
어)는 서술어의 주변 정보이므로 '-'을 넣어 분리해 준다.

(14) 你朋友<u>应该</u>为大家<u>着想</u>。 (=7)

　　가. A_{3-1-0} C_{0-1-2}

　　나. E_6E_{12}

문장 (14)에서는 형식서술어인 '应该'와 서술어 '着想'이 쓰였다.
'应该'는 조동사(6번)이므로 'E_6'으로 표시한다. '着想'은 '자동사
(1번), 2자리(2번)' 서술어이고, 그 오른쪽에 补语(보어)가 나와 있
지 않으므로 'E_{12}'가 된다.

(15) 张三和女朋友<u>分手</u>了。 (=8)

　　가. A_{0-2-0} C_{1-1-2}

　　나. E_{12}

문장 (15)의 '分手'는 '자동사(1번), 2자리(2번)' 서술어이고, 그 오
른쪽에 补语(보어)가 나와 있지 않으므로 'E_{12}'가 된다.

(16) 张三在老师的办公室里对李四<u>进行了两次采访</u>。 (=9)

─────────────────────

　　어로, 이에 대한 자세한 논의는 3장에서 다룬다.

가. $A_{0\text{-}2\text{-}0}$ $D_{43\text{-}1\text{-}2}$ $C_{0\text{-}2\text{-}2}$

나. $E_8E_{412<3<3>\text{-}1\text{-}0>}$

문장 (16)에서 서술어 '进行两次采访'은 형식서술어 '进行'과 실질서술어 '两次采访'으로 구성된 복합서술어이다. 형식서술어 '进行'은 경동사(8번)이므로 'E_8'로 표시한다. 실질서술어 '两次采访'에서 체언 서술어 '采访'은 체언(4번)이 서술어 노릇을 하고, '자동사성(1), 2자리(2번)'이므로 'E_{412}'가 된다. 그리고 체언으로서 '采访'은 핵이 보통명사(1번)이고, 왼쪽에서 관형어 '两次'의 수식을 받는데, 앞에서 살펴본 관형어 내부에 다시 관형어가 등장하는 경우에 해당한다. 이를 도식으로 나타내면 '[[两]次]采访'으로서, 수사 '两'과 양사 '次'는 모두 체언이므로 '3<3>'이 되고, 전치사는 나와 있지 않으므로 '0'이다. 이상의 내용을 종합하면, 서술어 '进行两次采访'은 '$E_8E_{412<3<3>\text{-}1\text{-}0>}$'이 된다.

(17) 那人的弟弟<u>是我们的客户</u>?! (=10)

가. $A_{4<3>\text{-}1\text{-}0}$

나. $E_7E_{431<4\text{-}1\text{-}0>}$

문장 (17)에서 서술어 '是我们的客户'는 형식서술어 '是'와 실질서술어 '我们的客户'로 구성된 복합서술어이다. 형식서술어 '是'는 'E_7'로 표시하고, 실질서술어 '我们的客户'에서 핵인 '客户'는 체언(4번)이 서술어 노릇을 하고, '형용사성, 1자리'이므로, 'E_{431}'이 된다. 그리고 체언이기 때문에 체언 정보도 같이 표시해야 하는데, 핵인 '客户'는 보통명사(1번)이고, 관형어 '我们的'는 '체언+的'(4번)이므로 '$E_{431<4-1-0>}$'이 된다. 이를 종합하면, 서술어 '是我们的客户'는 '$E_7E_{431<4-1-0>}$'이다.

(18) 张三<u>看了一下</u>男孩子手背上的伤口。 (=11)

　　가. A_{0-2-0} $B_{4<3<3<1>>>-1-0}$

　　나. E_{22-4}

문장 (18)에서 '看一下'는 서술어 '看'에 수량补语(보어) '一下'가 결합되어 있다. '看'은 '타동사(2번), 2자리(2번)' 서술어이고, 수량补语(보어)(4번)가 뒤따르고 있으므로 'E_{22-4}'로 분석한다.

2.2.3 양태성분과 기타의 정보 표시 사례

앞에서 다룬 문장들에 대해 아직 양태성분 및 기타의 정보 표시 방법에 대한 설명이 이루어지지 않았다. 여기서는 남은 정보를 추가적으로 표시함으로써 문장 분석을 완료하기로 한다.

(19) 爸爸, 我<u>要</u>吃饭。 (=5, 12)

　　가. J_{0-1-0} A_{0-4-0} B_{0-1-0}

　　나. E_6E_{22}

　　다. $T_3S_3N_1P_1$

문장 (19)는 앞 절에서 다루었던 문장 (12)를 가져 온 것이다. (19
가)는 문장 속의 체언 성분을 분석하여 표시한 것이고, (19나)는
서술어 정보를 나타낸 것이며, (19다)는 양태성분과 기타를 추가적
으로 표시한 것이다. 아래의 (20)~(25) 역시 (19)와 같은 방식으로
분석을 진행하기로 한다.

문장 (19)에서 쓰인 양태성분은 조동사 '要'이고, 기타 정보는 부호
'。'이다. 조동사 '要'는 '미래+예정'의 시제(3번) 및 상(3번) 정보
를 담고 있으므로 'T_3S_3'으로 표시하고, 종결 정보에서 '평서'는 1
번이므로 'N_1'로 표시하며, 부호 정보에서 '마침표'는 1번이므로
'P_1'이 된다. 이 정보를 모으면 (19다)의 '$T_3S_3N_1P_1$'이다.

(20) 只有张三卖出去了大型轿车。 (=6, 13)
　　가. $A_{2\text{-}2\text{-}0}$ $B_{1\text{-}1\text{-}0}$
　　나. $E_{22\text{-}1}$
　　다. $T_1S_1N_1P_1$

문장 (20)에서 양태성분 '了'와 부호 '。'을 확인할 수 있다. '了'
는 '과거+완료'의 정보를 담고 있는데, '과거'는 시제 정보 1번이
므로 'T_1'로 표시하고, '완료'는 상 정보 1번이므로 'S_1'로 표시하
며, '평서'는 종결 정보 1번이므로 'N_1'로, '。'은 부호 정보 1번이
므로 'P_1'로 표시한다. 이상의 정보를 모두 모으면, (20다)의

'$T_1S_1N_1P_1$'이 된다.

(21) 你朋友<u>应该</u>为大家着想<u>。</u> (=7, 14)

　　가. A_{3-1-0} C_{0-1-2}

　　나. E_6E_{12}

　　다. $M_1N_1P_1$

문장 (21)에서 양태성분 '应该'와 부호 '。'을 추출해 낼 수 있다. 조동사 '应该'는 태도 정보에서 당위(1번)에 해당하므로 'M_1'로 표시하고, 종결 정보에서 '평서'는 1번이므로 'N_1'로 나타내며, 부호 정보에서 '마침표'는 1번이므로 'P_1'로 표시한다. 정보를 모두 모으면 (21다)의 '$M_1N_1P_1$'이 된다.

(22) 张三和女朋友分手<u>了</u><u>。</u> (=8, 15)

　　가. A_{0-2-0} C_{1-1-2}

　　나. E_{12}

　　다. $T_1S_1N_1P_1$

(23) 张三在老师的办公室里对李四进行<u>了</u>两次采访<u>。</u> (=9, 16)

　　가. A_{0-2-0} D_{43-1-2} C_{0-2-2}

　　나. $E_8E_{412<3<3>-1-0>}$

　　다. $T_1S_1N_1P_1$

문장 (22)와 문장 (23)에서 공히 양태성분 '了'와 부호 '。'을 추출해 낼 수 있다. 이는 문장 (20)의 정보 표시와 같으므로 거기서의 설명으로 대신한다.

(24) 那人的弟弟是我们的客户?! (=10, 17)

    가. $A_{4<3>-1-0}$

    나. $E_7E_{431<4-1-0>}$

    다. N_2P_{23}

문장 (24)에서는 2개의 부호 '?'와 '!'를 추출해 낼 수 있다. 양태정보로 문장의 종결 정보를 고려할 수 있는데, '의문'은 종결 정보의 2번이므로 'N_2'로 표시하고, '?'와 '!'는 각각 부호 정보의 2번과 3번이므로 'P_{23}'이 된다. 정보들을 모두 모으면, (24다)의 'N_2P_{23}'이 된다.

(25) 张三看了一下男孩子手背上的伤口。_ (=11, 18)

    가. A_{0-2-0} $B_{4<3<3<1>>>-1-0}$

    나. E_{22-4}

    다. $T_1S_1N_1P_1$

문장 (25)에서도 양태성분 '了'와 부호 '。'을 확인할 수 있다. 이는 문장 (20), (22), (23)의 정보 표시와 같으므로 자세한 설명은 생략한다.

지금까지 7개의 문장들을 체언 성분, 서술어, 양태성분과 기타 정보 순으로 분석한 결과를 모두 합치면 아래와 같다.

(26) 2.2.2절에서 다룬 문장들의 분석 결과

　가. 爸爸, 我要吃饭。(=5, 12, 19)

　　⇒ $J_{0-1-0}A_{0-4-0}E_6E_{22}B_{0-1-0}T_3S_3N_1P_1$

　나. 只有张三卖出去了大型轿车。(=6, 13, 20)

　　⇒ $A_{2-2-0}E_{22-1}B_{1-1-0}T_1S_1N_1P_1$

　다. 你朋友应该为大家着想。(=7, 14, 21)

　　⇒ $A_{3-1-0}E_6C_{0-1-2}E_{12}M_1N_1P_1$

　라. 张三和女朋友分手了。(=8, 15, 22)

　　⇒ $A_{0-2-0}C_{1-1-2}E_{12}T_1S_1N_1P_1$

　마. 张三在老师的办公室里对李四进行了两次采访。(=9, 16, 23)

　　⇒ $A_{0-2-0}D_{43-1-2}C_{0-2-2}E_8E_{412\langle3\langle3\rangle-1-0\rangle}T_1S_1N_1P_1$

　바. 那人的弟弟是我们的客户?! (=10, 17, 24)

　　⇒ $A_{4\langle3\rangle-1-0}E_7E_{431\langle4-1-0\rangle}N_2P_{23}$

　사. 张三看了一下男孩子手背上的伤口。(=11, 18, 25)

　　⇒ $A_{0-2-0}E_{22-4}B_{4\langle3\langle3\langle1\rangle\rangle\rangle-1-0}T_1S_1N_1P_1$

문장 분석은 서술어 정보 파악으로부터 시작된다. 서술어의 종류와 자릿수를 알아야 체언 성분들의 역할을 나누고 그 세부 정보 분석을 할 수 있다. 이렇게 독립성분과 명제성분 분석이 끝나고 나면 양태성분과 기타 정보를 분석하여 문장 하나의 분석이 완성된다.

2.2.4 내포문의 정보 표시 사례

앞에서 분석한 문장들은 모두 단문이다. 단문은 주술관계가 한 번만 나타나는 문장이고, 복문은 주술관계가 두 번 이상 나타나는 문장이다. 복문은 문장이 다른 문장을 안고 있는 모습을 보이는데, 이때 안은문장을 '모문', 안긴문장을 '내포문'이라고 부른다. '문장'은 두 가지를 통칭할 수 있지만, '절'은 주로 내포문을 가리킬 때 쓴다. 이제 복문이 어떻게 분석되는지 살펴보기로 한다.

명사절 분석

(27) 他是否会来还不确定。

　　내포문: [他是否会来]$_{명사절}$ 还不确定。

　　$\Rightarrow A_{0\text{-}7\text{-}0}(A_{0\text{-}4\text{-}0}DE_6E_{11}M_2)DDE_{31}M_4N_1P_1$

문장 (27)에서 '确定'이 서술어인데, 이는 '형용사, 1자리'이므로 주어 하나만 요구한다. '他是否会来'가 문장의 주어이며, 절 자체가 주어의 핵이 되었으므로, 명사절 분석 사례에 해당한다.

먼저 주어인 '他是否会来'를 살펴보기로 한다. '他是否会来'는 명사절이 문장에서 주어 노릇을 하고 있으므로, 주어의 핵은 절(7번)

이 된다. 그리고 관형어와 전치사가 없으므로 'A_{0-7-0}'이 된다. 이것이 주어의 기본 정보이다.

다음으로 명사절 '他是否会来'의 내부를 분석해야 한다. '他是否会来'에서 '来'는 '자동사, 1자리' 서술어이므로 주어 하나만 요구한다. 따라서 '他是否会来'에서 주어는 인칭대명사 '他'이고, 부사인 '是否'는 부사어이다. '会'는 조동사이다. 이를 앞에서 배운 정보를 활용하여 분석하면 '$A_{0-4-0}DE_6E_{11}$'이 된다. 조동사 '会'는 '추측/가능성'이라는 태도를 지니므로 'M_2'를 추가해야 한다. '他是否会来'의 정보를 모두 모으면 '$A_{0-4-0}DE_6E_{11}M_2$'가 된다. 그 다음으로, 명사절 '他是否会来'의 정보는 괄호 '(,)'로 감싸 'A_{0-7-0}' 뒤에 붙인다. 주어의 기본 정보 다음에 주어 핵인 명사절 정보를 풀어주는 것이다. 최종적으로, 주어인 명사절의 분석 결과는 '$A_{0-7-0}(A_{0-4-0}DE_6E_{11}M_2)$'가 된다.

모문의 나머지 정보를 마저 표시하면 문장 (27)의 분석이 완료된다. 모문의 '还不确定。'에서 부사 '还'와 '不'는 모두 부사어이고, 서술어 '确定'은 '형용사, 1자리'이며, 부정 부사 '不'가 쓰였으므로 양태 정보의 태도에서 '부정'(4번)을 추가한다. 그리고 문장이 평서형으로 종결되고 마침표가 있다. 이상의 내용을 종합하면, 문장 (27)은 '$A_{0-7-0}(A_{0-4-0}DE_6E_{11}M_2)DDE_{31}M_4N_1P_1$'로 완결된다.

문장 (27) 분석에서 처음 접하게 되는 것은 괄호 '(,)'인데, 이는 해석문법에서 내포문 정보를 나타내는 방식이다. 어떤 문장성분 안에 절이 있거나 어떤 문장성분 자체가 절일 경우, 괄호를 통해 내포문의 내부 정보를 기본 정보와 구별하여 표시한다.[25]

관형사절 분석

(28) 我喜欢你推荐的书。

　　내포문: 我喜欢 [[你推荐]관형사절+的] 书。

　　⇒ $A_{0\text{-}4\text{-}0}E_{22}B_{6\text{-}1\text{-}0}(A_{0\text{-}4\text{-}0}E_{22})N_1P_1$

문장 (28)에서 '喜欢'은 '타동사, 2자리' 서술어로서 주어와 목적어를 모두 요구한다. '我'가 문장의 주어이고, '你推荐的书'가 목적어인데, 목적어의 핵인 '书'가 관형어 '你推荐的'의 수식을 받고 있다. '你推荐的'는 '절+的' 구성이므로, 관형사절 분석 사례에 해당한다.

주어 '我'는 관형어가 없고, 핵은 인칭대명사이며, 전치사도 없으므로 '$A_{0\text{-}4\text{-}0}$'으로 표시한다. 목적어 '你推荐的书'는 관형어가 '절+的'이고, 핵은 보통명사이며, 전치사가 없으므로 '$B_{6\text{-}1\text{-}0}$'이 된다. 여기에 절 정보를 괄호 안에 넣어 풀어 주어야 한다. 관형사절 '你推荐'은 주어 '你'와 서술어 '推荐'으로 분석한다. 주어 '你'는 관형어가 없고, 핵은 인칭대명사이며, 전치사가 없으므로 '$A_{0\text{-}4\text{-}0}$'으로

---

25) 이와 관련하여 김의수(2023:119)를 참고할 수 있다.

표시하고, 서술어 '推荐'은 '타동사, 2자리'이므로 'E$_{22}$'로 나타낸다. 이상의 목적어 정보를 모으면, 'B$_{6-1-0}$(A$_{0-4-0}$E$_{22}$)'가 된다. 한편, 문장이 평서형으로 종결되고 부호로 마침표가 있으므로, 'N$_1$P$_1$'을 추가하면 문장 (28)의 분석이 완료된다. 이상의 내용을 종합하면, 'A$_{0-4-0}$E$_{22}$B$_{6-1-0}$(A$_{0-4-0}$E$_{22}$)N$_1$P$_1$'이 된다.

관형사절은 문장 (28)처럼 한 번만 나올 수도 있고, 다음에 살펴볼 예에서처럼 중복 출현할 수도 있다.

관형사절의 중복 출현

관형사절이 중복 출현하는 문장을 2개 살펴볼 것인데, 문장 (29)는 관형사절이 나란히 나열된 경우이고, 문장 (30)은 관형사절이 다른 관형사절을 포함하는 경우이다. 먼저 관형사절이 나열된 문장을 분석하기로 한다.

(29) 我给你介绍我昨天看过的非常搞笑的一部电影。

　　我给你介绍 [[我昨天看过]$_{관형사절}$+的] [[非常搞笑]$_{관형사절}$+的]一部电影。

　　$\Rightarrow$ A$_{0-4-0}$C$_{0-4-2}$E$_{23}$B$_{663<3>-1-0}$(A$_{0-4-0}$DE$_{22}$T$_1$S$_1$)(DE$_{31}$)N$_1$P$_1$

문장 (29)에서 서술어 '介绍'는 '타동사, 3자리'로서, '누가 누구에게 무엇을 介绍(소개하다)'의 문형을 갖는다. 따라서 문장 (29)에서 '我'는 주어이고, '给你'는 보어이며, '我昨天看过的非常搞笑的一

部电影'은 목적어가 된다.

목적어의 핵은 '电影'이고, 핵 앞에 관형어가 모두 3개 나온다. 첫 번째는 '我昨天看过的'이고, 두 번째는 '非常搞笑的'이며, 세 번째는 '一部'이다. 첫 번째와 두 번째 관형어는 공히 '절+的'로 구성된 관형사절이고, 세 번째 관형어는 체언의 수식을 받은 체언이다. 즉, 두 개의 관형사절과, 관형어의 수식을 받은 관형어가 핵인 '电影'을 수식하고 있다. 핵인 '电影'은 보통명사이고, 전치사가 없으므로 목적어의 기본 정보는 '$B_{663<3>\text{-}1\text{-}0}$'이 된다. 이러한 표시 뒤에 두 개의 관형사절의 정보를 괄호 안에 넣어 순차적으로 풀어주면 목적어 분석이 완료된다.

이어서, 첫 번째 관형사절 '我昨天看过'에서 서술어 '看'은 '타동사, 2자리'이다. '我'는 주어이고, 목적어는 생략되어 있으며, '昨天'은 부사어이다. 주어 '我'는 관형어가 없고, 핵은 인칭대명사이며, 전치사도 없으므로 '$A_{0\text{-}4\text{-}0}$'이 된다. 다음으로, 부사어 '昨天'의 분석 내용은, 관형어가 없고, 핵은 보통명사이며, 전치사가 없으므로 '$D_{0\text{-}1\text{-}0}$'으로 표시한다. 서술어 뒤에 오는 '过'는 '과거+완료'라는 두 가지 양태성분을 나타내기 때문에 'T_1S_1'로 표시한다. 이상의 내용을 종합하면, '我昨天看过'의 정보는 '$A_{0\text{-}4\text{-}0}D_{0\text{-}1\text{-}0}E_{22}T_1S_1$'이 된다.

계속해서, 두 번째 관형사절 '非常搞笑'에서 서술어 '搞笑'는 '형용사, 1자리'이다. 주어가 생략되어 있고, 부사 '非常'이 부사어로 쓰였으므로 '非常搞笑的'의 정보는 'DE_{31}'이 된다.

두 개의 관형사절의 분석이 끝났다. 이를 반영하면, (29)의 목적어 '我昨天看过的非常搞笑的一部电影'의 완결된 표시는 '$B_{663<3>\text{-}1\text{-}0}(A_{0\text{-}4\text{-}0}D_{0\text{-}1\text{-}0}E_{22}T_1S_1)(DE_{31})$'이 된다. 관형어 정보에 절이 두 개 내포되어 있으므로, 괄호의 쌍도 두 개여야 한다.

다시 모문으로 가서 남은 성분을 분석한다. 주어 '我'는 관형어가 없고, 핵이 인칭대명사이며, 전치사가 없으므로 '$A_{0\text{-}4\text{-}0}$'으로 표시한다. 보어 '给你'는 관형어가 없고, 핵이 인칭대명사이며, 부사어류 전치사가 왔으므로 '$C_{0\text{-}4\text{-}2}$'로 표시한다. 서술어 '介绍'는 '타동사, 3자리'이므로 'E_{23}'으로 분석된다. 마지막으로 평서형으로 문장이 종결되고, 마침표가 왔으므로 'N_1P_1'을 추가한다. 이상의 내용을 모두 종합하면, 문장 (29)의 분석 결과는 '$A_{0\text{-}4\text{-}0}C_{0\text{-}4\text{-}2}E_{23}B_{663<3>\text{-}1\text{-}0}(A_{0\text{-}4\text{-}0}DE_{22}T_1S_1)(DE_{31})N_1P_1$'이 된다.

다음 문장 (30)에서는, 관형사절이 다른 관형사절을 포함하는 예를 살펴보기로 한다.

(30) 这是我爸爸从他工作的公司带回来的文件。

　　 这是[[我爸爸从[[他工作]관형사절+的]公司带回来]관형사절+的]文件。

　　 ⇒ $A_{0\text{-}5\text{-}0}E_7E_{431<6\text{-}1\text{-}0>}(A_{3\text{-}1\text{-}0}C_{6\text{-}1\text{-}2}(A_{0\text{-}4\text{-}0}E_{11})E_{12\text{-}1})N_1P_1$

문장 (30)은 형식서술어 '是'와 실질서술어 '我爸爸从他工作的公司带回来的文件'으로 구성된 복합서술어 구문이다. 실질서술어에서 핵 '文件'은 관형어 '我爸爸从他工作的公司带回来的'의 수식을 받는다. 이때 관형어는 '절+的'의 구성을 갖는 관형사절이다. 문제는 관형사절 '我爸爸从他工作的公司带回来'의 내부의 보어 '从他工作的公司'에서 다시 관형사절 '他工作'가 등장한다는 것이다.

우선 실질서술어 '我爸爸从他工作的公司带回来的文件'에서 서술어 노릇을 하는 체언 '文件'은 '형용사성, 1자리'이다. 또한 체언 고유의 정보로, 관형어는 '절+的'이고, 핵은 보통명사이며, 전치사는 없으므로, 실질서술어의 기본 정보는 '$E_{431<6-1-0>}$'이 된다. 이러한 표시 뒤에 관형사절의 정보를 괄호에 넣어 풀어 주면 된다.

관형사절 '我爸爸从他工作的公司带回来'에서 복합서술어 '带回'는 '자동사, 2자리'로서, 주어와 보어를 필요로 한다. '我爸爸'가 주어이고, '从他工作的公司'가 보어이다. 먼저 주어 '我爸爸'는 관형어가 체언이고, 핵은 보통명사이며, 전치사가 없으므로, 'A_{3-1-0}'으로 표시한다. 보어 '从他工作的公司'에서 핵은 보통명사 '公司'이고, 관형어 '他工作的'는 '절+的' 구성이며, '从'은 부사어류 전치사이다. 따라서 보어 '从他工作的公司'의 기본 정보는 'C_{6-1-2}'이며, 그 뒤에 관형사절로 된 관형어 '他工作'의 정보인 '$A_{0-4-0}E_{11}$'을 괄호 안에 넣어 붙여 주면 된다. 이렇게 해서 보어 '从他工作的公司'의 최종 분석은 '$C_{6-1-2}(A_{0-4-0}E_{11})$'이 된다. 그리고 서술어 '带回'는 '자동사, 2자리'이고, 오른쪽에 방향补语(보어) '来'가 인접해 있으므로 'E_{12-1}'로 표시한다. 이렇게 해서 실질서술어의 관형어 '我爸爸从他工作的公司带回来'의 표시는 '$A_{3-1-0}C_{6-1-2}(A_{0-4-0}E_{11})E_{12-1}$'로 완성된다. 이를 바탕으로 실질서술어 '我爸爸从他工作的公司带回来的文件'의 최종 분석 결과는 '$E_{431<6-1-0>}(A_{3-1-0}C_{6-1-2}(A_{0-4-0}E_{11})E_{12-1})$'이 된다.

다시 모문으로 가서 남은 성분들을 분석한다. 주어 '这'는 관형어가 없고, 핵은 비인칭대명사이며, 전치사가 없으므로 'A_{0-5-0}'으로 표시한다. 형식서술어 '是'는 'E_7'이고, 실질서술어는 $E_{431<6-1-0>}(A_{3-1-0}C_{6-1-2}(A_{0-4-0}E_{11})E_{12-1})$이며, 문장이 평서형으로 종결되고, 마침표가 있으므로 'N_1P_1'을 추가한다. 이상의 내용을 모두 종합하면, 문장 (30)은 '$A_{0-5-0}E_7E_{431<6-1-0>}(A_{3-1-0}C_{6-1-2}(A_{0-4-0}E_{11})E_{12-1})N_1P_1$'로 표시된다.

문장 (29)는 관형사절이 나란히 왔기 때문에 두 개의 괄호 쌍이 나란히 배열되었지만, 문장 (30)은 관형사절 안에 관형사절이 내포되었기 때문에 한 개의 괄호 쌍 안에 다른 한 개의 괄호 쌍이 들어가 있는 모습을 띠고 있다.

부사절 분석

(31) 明天有时间，我一定帮你。

　[明天有时间]_{부사절}，我一定帮你。

　　⇒ $D(D_{0-1-0}E_{22}B_{0-1-0})A_{0-4-0}DE_{22}B_{0-4-0}N_1P_1$

문장 (31)에서 서술어 '帮'은 '타동사, 2자리'로서, 주어와 목적어를 필요로 한다. 문장 (31)에서 '我'는 주어, '你'는 목적어이고, 절인 '明天有时间'은 부사어이다. (31)은 부사절이 내포문으로 쓰인 예이다. 부사절이 문장성분으로 쓰였기 때문에 우선 D라는 표지를 준다. 이때, 부사절은 부사와 마찬가지로 D로만 표시하면 충분하다. 다만, 부사절 내부의 정보를 D 바로 뒤에 괄호 안에 넣어 주어야 한다.

부사절 '明天有时间'에서 서술어 '有'는 '타동사, 2자리'이고, 주어는 없으며, '时间'이 목적어로 쓰였다. '明天'은 시간을 나타내는 부사어인데, 체언이므로 체언 고유의 정보를 표시해야 하며, 그것은 'D_{0-1-0}'이 된다. 그 밖에, 서술어 '有'는 'E_{22}'이며, 목적어 '时间'은 'B_{0-1-0}'이다. 이렇게 해서 완성된 부사절은 '$D(D_{0-1-0}E_{22}B_{0-1-0})$'이 된다.

다시 모문으로 가서 남은 성분들을 분석한다. 주어 '我'는 'A_{0-4-0}'이고, 부사인 부사어 '一定'은 'D'이며, 서술어 '帮'은 'E_{22}'이고, 목적어 '你'는 'B_{0-4-0}'이다. 문장이 평서형으로 종결되고, 마침표가 있으므로 'N_1P_1'을 추가한다. 이상의 정보를 종합하면, 문장 (31)은

'$D(D_{0-1-0}E_{22}B_{0-1-0})A_{0-4-0}DE_{22}B_{0-4-0}N_1P_1$'이 된다.

부사절의 중복 출현

부사절이 중복 출현하는 문장을 2개 살펴볼 것인데, 문장 (32)는 부사절이 나란히 나열된 경우에 해당하고, 문장 (33)은 부사절이 다른 부사절을 포함하는 경우에 해당한다. 먼저 부사절이 나열된 예를 살펴보기로 한다.

(32) 到了美国，花了很多时间才找到那本书。

　　[到了美国]부사절，[花了[很多]관형사절时间]부사절才找到那本书。

　　⇒ $D(E_{22}B_{0-2-0}T_1S_1)D(E_{22}B_{5-1-0}(DE_{31})T_1S_1)DE_{22}B_{3<3-1-0>}N_1P_1$

문장 (32)에서 복합서술어 '找到'는 '타동사, 2자리'로서, 주어와 목적어를 요구한다. 문장에서 주어는 생략되었고, '那本书'는 목적어이다. '到了美国'와 '花了很多时间', '才'는 모두 부사어로서 동사 '找到'를 수식하고 있다. 이때 '到了美国'와 '花了很多时间'은 부사절이고, '才'는 부사이다. 이렇듯 문장 (32)는 두 개의 부사절이 나란히 배열된 경우이다.

첫 번째 부사절 '到了美国'에서 서술어는 '到'인데, '타동사, 2자리'이므로 'E_{22}'가 된다. 목적어 '美国'는 관형어가 없고, 핵이 고유명사이며, 전치사가 없으므로 'B_{0-2-0}'이 된다. 그리고 '了'는 '과거+완료'를 나타내므로 'T₁S₁'로 표시한다. 이를 종합하면, 첫 번째 부사절은 $D(E_{22}B_{0-2-0}T_1S_1)$이 된다.

두 번째 부사절 '花了很多时间'에서 서술어 '花'는 '타동사, 2자리'이므로 'E_{22}'가 된다. 목적어 '很多时间'의 핵은 보통명사 '时间'이고, 관형사절 '很多'가 관형어로 쓰였으며, 전차사가 없으므로 'B_{5-1-0}'이 된다. 관형사절 '很多'의 정보인 'DE_{31}'을 괄호 안에 넣어 주어야 한다. 그리고 '了'는 '과거+완료'를 나타내므로 'T_1S_1'이다. 이를 종합하면, 두 번째 부사절은 '$D(E_{22}B_{5-1-0}(DE_{31})T_1S_1)$'이 된다.

계속해서, 모문에서 '才'는 부사이므로 'D'로 표시하고, 서술어 '找到'는 'E_{22}'이며, 목적어 '那本书'는 '$B_{3<3>-1-1}$'이다. 이를 모두 종합하면, (32)는 '$D(E_{22}B_{0-2-0}T_1S_1)D(E_{22}B_{5-1-0}(DE_{31})T_1S_1)DE_{22}B_{3<3-1-0>}N_1P_1$'이 된다.

문장 (33)은 부사절이 다른 부사절을 포함하는 경우이다.

(33) 当他唱歌的时候, 人们安静地听, 因为他的声音太美了。

[当[[他唱歌]관형사절+的]时候 人们[安静地]부사절听]부사절 因为他的声音太美了。

$\Rightarrow D(D_{6-1-2}(A_{0-4-0}E_{11})A_{0-1-0}D(E_{31})E_{22})DA_{4-1-0}DE_{31}T_2S_4N_1P_1$

문장 (33)에서 서술어 '美'는 '형용사, 1자리'로서, 하나의 주어만을 필수성분으로 요구하며, 그 주어가 바로 '他的声音'이다. 그리고 '当

他唱歌的时候, 人们安静地听'은 부사절이고, '因为'는 부사이다.

1차 부사절 '当他唱歌的时候, 人们安静地听'에서 서술어 '听'은 '타동사, 2자리'이므로, 주어와 목적어를 필수성분으로 요구하는데, 이때 '人们'은 주어이고, 목적어는 생략되었다. '当他唱歌的时候'는 체언 부사어이고, '安静地'는 부사절이다. 2차 부사절 '安静地'는 1차 부사절에 내포된 것임을 확인할 수 있다.

먼저 체언 부사어 '当他唱歌的时候'에서 핵인 '时候'는 보통명사이고, 관형어 '他唱歌的'는 '절+的' 구성이며, '当'은 부사어류 전치사이다. 따라서 부사어의 기본 정보는 'D_{6-1-2}'이며, '他唱歌'의 정보인 '$A_{0-4-0}E_{11}$'을 괄호 안에 넣어 주면 된다. 이렇게 해서 완성된 체언 부사어는 '$D_{6-1-2}(A_{0-4-0}E_{11})$'로 표시된다.

체언 부사어 '当他唱歌的时候' 다음에 오는 '人们安静地听'에서 서술어 '听'은 'E_{22}'이고, 주어 '人们'은 'A_{0-4-0}'이다. 2차 부사절 '安静地'의 서술어 '安静'은 '형용사, 1자리'이고, 뒤에 부사형 표지 '地'가 결합하여 '$D(E_{31})$'이 된다. 이를 모두 정리하면, 1차 부사절 '当他唱歌的时候, 人们安静地听'은 '$D(D_{6-1-2}(A_{0-4-0}E_{11})A_{0-1-0}D(E_{31})E_{22})$'로 표시된다.

마지막으로, 모문의 '因为他的声音太美了。'에서 접속조사 '因为'는 'D'이고, 주어 '他的声音'은 'A_{4-1-0}'이다. 그리고 부사 '太'는

'D'이고, 서술어 '美'는 'E$_{31}$'이다. '了'는 '현재+기동'을 나타내므로 'T$_2$S$_4$'가 되고, 문장이 평서형으로 종결되고, 마침표가 있으므로 'N$_1$P$_1$'을 추가한다. 이상의 내용을 모두 종합하면, 문장 (33)은 'D(D$_{6-1-2}$(A$_{0-4-0}$E$_{11}$)A$_{0-1-0}$D(E$_{31}$)E$_{22}$)DA$_{4-1-0}$DE$_{31}$T$_2$S$_4$N$_1$P$_1$'이 된다.

이상으로 명사절, 관형사절, 부사절을 분석하고 더 나아가서 관형사절의 중복 출현과 부사절의 중복 출현을 함께 살펴보았다. 이어서, 관형사절과 부사절이 동시 출현하는 예문을 논의하기로 한다.

관형사절과 부사절 동시 출현

문장 (34)는 관형사절과 부사절이 나란히 출현한 경우이다.

(34) 可爱的孩子开心地笑。
　　　[[可爱]_관형사절+的]孩子[开心地]_부사절笑。
　　⇒ A$_{6-1-0}$(E$_{31}$)D(E$_{31}$)E$_{11}$N$_1$P$_1$

여기서 서술어 '笑'는 '자동사, 1자리'로서, 주어만을 필수성분으로 요구한다. 그 주어는 '可爱的孩子'인데, 이것은 관형어가 '절+的'이고, 핵이 보통명사이며, 전치사가 없으므로 'A$_{6-1-0}$'이다. 그리고 바로 뒤에 관형사절 '可爱'의 정보 'E$_{31}$'을 괄호 안에 넣어 주어야 한다. 이를 종합하면, 주어 '可爱的孩子'는 'A$_{6-1-0}$(E$_{31}$)'이다. 부사절 '开心地'는 '형용사, 1자리' 서술어 '开心'에 부사형 표지 '地'가 결합하였는데,

이를 표시하면 '$D(E_{31})$'이 된다.

남은 것은 모문의 서술어 '笑'이며, 그것은 '자동사, 1자리'로서 'E_{11}'로 표시된다. 그리고 문장이 평서형으로 종결되고, 마침표가 있으므로 'N_1P_1'을 추가한다. 이상의 내용을 모두 종합하면, 문장 (34)는 '$A_{6\text{-}1\text{-}0}(E_{31})D(E_{31})E_{11}N_1P_1$'로 표시된다.

계속해서, 관형사절 안에 부사절이 내포되어 있는 문장 (35)를 살펴보기로 한다.

(35) 开心地笑的孩子最可爱。

　　[[[开心地]부사절 笑]관형사절+的]孩子最可爱。

　　$\Rightarrow A_{6\text{-}1\text{-}0}(D(E_{31})E_{11})DE_{31}N_1P_1$

여기서 '可爱'는 '형용사, 1자리' 서술어로서 주어만을 요구한다. 주어 '开心地笑的孩子'는 관형어가 '절+的'이고, 핵 '孩子'는 보통 명사이며, 전치사가 없으므로 '$A_{6\text{-}1\text{-}0}$'이 된다. 여기서 관형사절 '开心地笑'는 부사절 '开心地'와 '자동사, 1자리' 서술어 '笑'로 구성되어 있다. 부사절은 '$D(E_{31})$'이고, 서술어는 'E_{11}'이다. 이를 종합하면, 주어 '开心地笑的孩子'는 '$A_{6\text{-}1\text{-}0}(D(E_{31})E_{11})$'이 된다.

남은 것을 살펴보면, 부사 '最'는 'D'이고, 서술어 '可爱'는 'E_{31}'이 된다. 그리고 문장이 평서형으로 종결되고, 마침표가 있으므로

'N_1P_1'을 추가한다. 이상의 내용을 모두 종합하면, 문장 (35)는 '$A_{6-1-0}(D(E_{31})E_{11})DE_{31}N_1P_1$'로 표시된다.

그 외에 부사절 안에 관형사절이 내포되어 있는 경우도 있는데, 이는 앞선 문장 (32)에서 두 번째 부사절 '[花了[很多]$_{관형사절}$时间]$_{부사절}$'에서 이미 다루었다.

인용절

직접 인용절에서 인용절 표시 Q를 어떻게 표시하는지 살펴보기로 한다.

(36) Q를 표시해야 하는 직접 인용절

　가. "我收到礼物了。"

　　⇒ $Q_{11}A_{0-4-0}E_{22}B_{0-1-0}T_2S_4N_1P_1$

　나. "我收到礼物了。真的很漂亮。"

　　⇒ $Q_{10}A_{0-4-0}E_{22}B_{0-1-0}T_2S_4N_1P_1$

　　⇒ $Q_{01}DDE_{31}N_1P_1$

　다. "我收到礼物了。真的很漂亮。谢谢你！"

　　⇒ $Q_{10}A_{0-4-0}E_{22}B_{0-1-0}T_2S_4$

　　⇒ $Q_{00}DDE_{31}N_1P_1$

　　⇒ $Q_{01}E_{22}B_{0-4-0}N_1P_3$

(36가)에서 직집 인용 부호인 큰따옴표 안에 한 개의 문장이 들어 있다. 그 문장을 분석하면 '$A_{0-4-0}E_{22}B_{0-1-0}T_2S_4N_1P_1$'이다. 그리고 해당 문장이 직접 인용된 걸 표시하기 위해 문장 분석 결과의 맨 앞에 'Q_{11}'을 추가한다. 숫자 '11'은 문장이 직접 인용의 어느 부분에 위치하는지를 알려준다. 즉, 첫 번째 숫자 '1'은 문장의 왼쪽에 직접 인용 부호가 왔음을, 두 번째 숫자 '1'은 문장의 오른쪽에 직접 인용 부호가 왔음을 알려준다. 직접 인용 부호가 없으면 '0'으로 표시한다. 문장 (36가)에서 문장 분석 결과 앞에 'Q_{11}'이 있다는 것은 문장 하나가 직접 인용되고 있다는 것을 의미한다.

(36나)는 큰따옴표 안에 두 개의 문장이 들어 있다. 첫 번째 문장 분석 결과 앞에는 'Q_{10}'을 붙여 '$Q_{10}A_{0-4-0}E_{22}B_{0-1-0}T_2S_4N_1P_1$'이 된다. 문장의 왼쪽에는 인용 부호가 있지만 오른쪽에는 없기 때문에 숫자 '10'으로 표시했다. 두 번째 문장은 '$DDE_{31}N_1P_1$'로 분석된다. 두 번째 분석 결과 앞에는 'Q_{01}'을 붙여서 '$Q_{01}DDE_{31}N_1P_1$'이 된다. 즉 두 번째 문장의 왼쪽에는 인용 부호가 없고 오른쪽에 있음을 나타낸다. 'Q_{01}'은 직접 인용의 마지막 문장임을 뜻한다.

(36다)는 큰따옴표 안에 세 개의 문장이 들어 있다. (36나)처럼, 첫 문장과 세 번째 문장에는 각각 'Q_{10}'과 'Q_{01}'을 붙이고, 가운데 문장에는 'Q_{00}'을 붙인다. 중간에 낀 직접 인용문은 앞과 뒤에 모두 인용 부호가 없기 때문이다. (36다)의 분석 결과는 각각 '$Q_{10}A_{0-4-0}E_{22}B_{0-1-0}T_2S_4$', '$Q_{00}DDE_{31}N_1P_1$', '$Q_{01}E_{22}B_{0-4-0}N_1P_3$'이 된다.

위의 예 (36)은 문장 전체가 직접 인용이 된 경우에 해당한다. 아래 예시 (37)은 한 문장 내부의 일부만 직접 인용의 대상이 되는 경우이다.

(37) 한 문장 내부의 일부만 직접 인용의 대상인 경우

张三对李四说：“我收到礼物了。”

$\Rightarrow A_{0\text{-}2\text{-}0}C_{0\text{-}2\text{-}2}E_{13}C_{0\text{-}7\text{-}0}(Q_{11}A_{0\text{-}4\text{-}0}E_{22}B_{0\text{-}1\text{-}0}T_2S_4N_1P_1)$

문장 (37)에서 서술어 '说'는 '자동사, 3자리'로서 하나의 주어와 두 개의 보어를 필수성분으로 요구한다. 문장 (37)에서 '张三'은 주어($A_{0\text{-}2\text{-}0}$)이고, '对李四'는 보어($C_{0\text{-}2\text{-}2}$)이며, 직접 인용된 '“我收到礼物了。”'도 보어이다.

보어 '“我收到礼物了。”'는 관형어는 없고, 핵은 절이며, 전치사도 없으므로 '$C_{0\text{-}7\text{-}0}$'이다. 핵의 절 정보를 풀어 주어야 하는데, 직접 인용된 절 '“我收到礼物了。”'는 '$Q_{11}A_{0\text{-}4\text{-}0}E_{22}B_{0\text{-}1\text{-}0}T_2S_4N_1P_1$'로 표시된다. 이를 괄호에 넣어 보어의 기본 정보 뒤에 붙이면, '$C_{0\text{-}7\text{-}0}(Q_{11}A_{0\text{-}4\text{-}0}E_{22}B_{0\text{-}1\text{-}0}T_2S_4N_1P_1)$'이 된다. 이상을 종합하면, 문장 (37)은 '$A_{0\text{-}2\text{-}0}C_{0\text{-}2\text{-}2}E_{13}C_{0\text{-}7\text{-}0}(Q_{11}A_{0\text{-}4\text{-}0}E_{22}B_{0\text{-}1\text{-}0}T_2S_4N_1P_1)$'로 표시될 수 있다.

문장의 일부로 등장하는 직접 인용문이 두 개 이상일 수도 있다.

아래 문장 (38)을 살펴보기로 한다.

(38) 문장의 일부로 등장하는 직접 인용문이 두 개 이상인 경우

张三问李四: "谁做? 我做? 还是你做?"

$\Rightarrow A_{0-2-0}E_{23}B_{0-2-0}C_{0-777-0}(A_{0-4-0}E_{22}N_2P_3)(A_{0-4-0}E_{22}N_2P_3)(DA_{0-4-0}E_{22}N_2P_3)$

문장 (38)에서 보어의 핵은 절 3개로 이루어져 있으므로 '$C_{0-777-0}$' 으로 표시하고, 각각의 절 정보를 괄호 안에 넣어 주는데, 핵이 3개 이므로 뒤따르는 괄호 정보도 3개가 나타나야 한다.

마지막으로, 간접 인용절의 경우를 살펴보기로 한다. 문장 (37)의 직접 인용절을 간접 인용절로 바꾸면 문장 (39)가 된다.

(39) 간접 인용절의 정보 표시

张三对李四说<u>他收到礼物了</u>。

$\Rightarrow A_{0-2-0}C_{0-2-2}E_{13}C_{0-7-0}(A_{0-4-0}E_{22}B_{0-1-0}T_2S_4N_1)P_1$

(37)과 달리 (39)에서는, 간접 인용절에서 'Q_{11}'이 빠지고 문장부호 'P_1'이 모문에 위치한다는 점을 눈여겨보아야 한다.

명사절과 X의 출현

(40) 명사절 정보 표시 사례1

解决这个问题很容易。

$\Rightarrow A_{0-7-0}(E_{22}B_{3<3>-1-0})DE_{31}N_1P_1$

문장 (40)에서 모문 서술어 '容易'는 '형용사, 1자리'로서, 그것이 요구하는 유일한 논항은 주어 '解决这个问题'이다. 주어 '解决这个问题'는 명사절이며, 그 안의 내포문 서술어 '解决'는 '타동사, 2자리'로서 주어와 목적어를 요구한다. 이때 내포문의 주어는 생략되어 있고 목적어 '这个问题'만 나타나 있다.

그런데 이 문장에서 내포문의 목적어 '这个问题'가 주어 명사절로부터 빠져나가 모문의 맨 앞에 놓일 수 있다. 그렇게 되면 다음과 같이, 주어 명사절은 모문 서술어 뒤에 위치하게 된다.

(41) 명사절 정보 표시 사례2

这个问题很容易解决。

$\Rightarrow X_{3<3>-1-0}DE_{31}A_{0-7-0}(E_{22})N_1P_1$

원래는 내포문의 목적어였다가 모문의 맨 앞으로 이동한 '这个问题'는, 모문의 서술어 '容易'(형용사, 1자리)가 감당할 수 없는 것이기 때문에, X의 위상을 지닌다. 다시 말해서, 모문의 맨 앞에 놓인 '这个问题'는 더 이상 내포문의 목적어도 아니고, 그렇다고 모문의 주어도 아닌 것이다. 또한 그것을 부사어나 그 밖의 다른 성분으로 볼 수도 없다. 이렇게 문장 안에서 적절한 문장성분으로 분

석할 수 없는 것에 X라는 범주를 준다.[26]

X의 사례

2.1.5절 '기타 정보 분석 틀'에서 'X'의 예로 든 예문을 다시 가져오면 다음과 같다.

(42) X 정보 표시 사례

大象鼻子长。

$\Rightarrow X_{0\text{-}1\text{-}0}A_{0\text{-}1\text{-}0}E_{31}N_1P_1$

---

26) 문장 (41)의 도출 과정에 대해 부연하면 다음과 같다.
　(i) 很容易解决这个问题。
　(ii) 解决这个问题很容易。
　(iii) 这个问题很容易解决。
　문장 (40)은 여기서 (ii)이고, 문장 (41)은 여기서 (iii)이다. 두 문장의 출발점은 (i)이다. (i)은 '서술어(很容易)+논항(解决这个问题)'의 기저 구조이다. 이때 서술어는 앞서 말한 대로 '형용사, 1자리'이므로, 비록 그 뒤에 목적어처럼 놓인 논항(명사절)을 그 자리에서 제대로 된 목적어로 취할 수 없다. 그 대신, 논항은 서술어의 앞으로 이동하여 주어 자리에 놓인다. 생성문법(Generative Grammar)에서는 이와 같은 주어를 '도출된 주어'라고 부른다. 정리하면, (ii)는 '(도출된) 주어+서술어'의 구조인 셈이다. 생성문법에서는 이때 서술어 뒤에 도출된 주어가 남기고 간 흔적이 있다고 본다. 한편, 기저 구조 (i)에서 도출될 수 있는 또 하나의 문장은 (iii)이다. '서술어(很容易)+논항(解决这个问题)'의 기저 구조에서, 논항(명사절) 내부의 목적어 '这个问题'가 내포문을 빠져나와 모문의 맨 앞으로 이동한 것이 (iii)이다. 즉, 그것은 'X+서술어+논항(명사절)'이다. 이때, 문제는 서술어 뒤의 논항을 어떤 문장성분으로 볼 것인가이다. 여기서는 (ii)에 준하여 주어 A로 본다. 즉, (iii)에서도 서술어 뒤의 논항은 주어로 해석되며, 그 안의 목적어만 모문의 맨 앞으로 빠져나간 것으로 보는 것이 합리적이다.

문장 (42)에서 서술어 '长'은 '형용사, 1자리'로서 그것의 진정한 주어는 '鼻子'이다. 가짜 주어 '大象'은 X가 된다. X인 '大象'은 관형어가 없고, 핵은 보통명사이며, 전치사가 없으므로 'X_{0-1-0}'이 된다. 주어 '鼻子'는 관형어가 없고, 핵은 보통명사이며, 전치사가 없으므로 'A_{0-1-0}'이다. 서술어 '长'은 '형용사, 1자리'이고, 문장이 평서형으로 종결되었으며, 마침표가 쓰였으므로 'N_1P_1'을 추가하여 전체적으로 '$X_{0-1-0}A_{0-1-0}E_{31}N_1P_1$'이 얻어진다.

이렇게 문장 안에 있는 성분뿐만 아니라, 문장 형식을 갖추지 못한 채 홀로 등장한 발화 등도 X가 된다.

(43) 홀로 등장한 X

　가. 作者一行

　　⇒ X_{3-1-0}

　나. 尴尬的男人的微笑

　　⇒ $X_{64-1-0}(E_{31})$

(43가)의 '作者一行'이나 (43나)의 '尴尬的男人的微笑'는 모두 체언 성분의 성격을 띠는데, 이들은 문장 안에서 특정한 서술어가 요구하여 등장한 문장성분이 아니므로 공히 문법기능이 없는 X의 자격을 가지게 된다. 둘 다 체언 성분이므로 X에 세부 정보를 표시해 주어야 한다. 그렇게 하면 (43가)의 표시는 'X_{3-1-0}'이 되고, (43나)

의 표시는 '$X_{64\text{-}1\text{-}0}(E_{31})$'이 된다.

독립된 발화로 등장하는 모든 것이 다 X는 아니라는 점에 유의해야 한다.

(44) 문장의 파편

　가. 在运动场上……

　　⇒ $D_{3\text{-}1\text{-}2}P_4$

　나. 快!

　　⇒ DP_3

예시 (44가)에서 '在运动场上……'은 그 자체로서는 온전한 문장처럼 보이지 않지만 부사어의 모습을 가지고 있고 줄임표가 쓰였다는 점에서 뒤의 문장성분들이 생략된 것으로 여겨진다. 이럴 경우, '在运动场上'은 X가 아닌 D로 분석해야 한다. 체언 성분의 성격을 띠므로 분석 결과는 '$D_{3\text{-}1\text{-}2}P_4$'가 된다.

예시 (44나) 역시 부사어(부사)와 부호만 등장하고 나머지는 모두 생략된 문장으로 볼 수 있다. 예컨대, '快跑!'라고 해야 하는데, 앞뒤 맥락이 충분히 주어지면 '快!'라고 말해도 충분하기 때문에 (44나)의 '快!'를 X가 아닌 D로 보아 'DP_3'으로 표시한다.

3장. 중국어 문장 분석의 심화

앞의 2장에서 중국어 해석문법의 기본 사항 및 적용을 다루었다면, 3장에서는 2장에서 미처 다루지 못한 심화 내용을 살펴보기로 한다. 즉, 중국어 해석문법에 따른 문장 분석의 기본 원칙들과 서술어 분석에서의 심화 내용, 그 외의 문장성분들에 대한 사항이 그것이다. 이와 같은 논의는, 중국어 문장 분석의 현장에서 마주칠 수 있는 다양한 문제들과 그에 대한 해법을 보여줄 것이다.

3.1 중국어 문장 분석의 기본 원칙[27)]

상위절 성분의 우선 확보

실제 문장 분석에서 단문보다 복문과 자주 마주치게 되는데, 문장 안에 문장이 들어가면서 어떤 문장성분은 상위절과 하위절에 동시에 속하기도 한다. 그럴 때 그 성분이 어디에 위치하는지를 정하는 원칙이 필요한데 중국어 해석문법은 해당 성분을 상위절 성분으로 분석할 것을 권장한다.

---

27) 여기서 논의되는 두 가지 기본 원칙 즉, '상위절 성분의 우선 확보'와 '이중 주어나 이중 목적어 불인정'은 한국어 해석문법에서도 설정되고 있다. 이에 관해서는 김의수(2023:158~167)를 참고할 수 있다.

(1) 한 성분이 모문과 내포문에 동시에 속하는 경우

　가. 他去图书馆看书。

　나. [他去图书馆]看书。

　　⇒ D($\underline{A_{0-4-0}E_{22}B_{0-1-0}}$)$E_{22}B_{0-1-0}N_1P_1$

　다. 他[去图书馆]看书。

　　⇒ $\underline{A_{0-4-0}}D(E_{22}B_{0-1-0})E_{22}B_{0-1-0}N_1P_1$

문장(1가)에서 '他'는 모문(상위절)과 내포절(하위절)에서 모두 주어의 역할을 한다. '他'가 어디에 실현되어 있다고 보는지에 따라 분석 결과가 달라진다. (1나)는 '他'가 내포문의 주어로 실현되어 있다고 보는 것이고, (1다)는 그것이 모문의 주어로 실현되어 있다고 판단하는 것이다. 중국어 해석문법은 물이 위에서 아래로 흐르는 것처럼 정보도 상위절에서 하위절로 흐른다고 본다. 이는 모문과 내포문의 성분이 겹칠 경우, 내포문에서 생략되고 모문에서 실현된다는 일반적인 관찰과 부합한다. 따라서 (1가)는 '他'를 모문의 성분으로 취급하는 (1다)처럼 분석할 것을 권장한다.

이와 같이, 동일한 성분이 모문과 내포문에 동시에 속하는 경우도 있지만, 상위 내포문과 하위 내포문에 걸치는 경우도 있다.

(2) 한 성분이 상위 내포문과 하위 내포문에 동시에 속하는 경우

　가. 我昨天看到张三去超市买菜。

　나. 我昨天看到 [[张三去超市]2차 내포문买菜]1차 내포문。

$$\Rightarrow A_{0\text{-}4\text{-}0}D_{0\text{-}1\text{-}0}E_{22}B_{0\text{-}7\text{-}0}(D(\underline{A_{0\text{-}2\text{-}0}}E_{22}B_{0\text{-}1\text{-}0})E_{22}B_{0\text{-}1\text{-}0})$$

다. 我昨天看到 [张三[去超市]$_{2차\ 내포문}$买菜]$_{1차\ 내포문}$。

$$\Rightarrow A_{0\text{-}4\text{-}0}D_{0\text{-}1\text{-}0}E_{22}B_{0\text{-}7\text{-}0}(\underline{A_{0\text{-}2\text{-}0}}D(E_{22}B_{0\text{-}1\text{-}0})E_{22}B_{0\text{-}1\text{-}0})$$

문장 (2가)에서 복합서술어 '看到'는 '타동사, 2자리'로서, '我'는 주어이고, '昨天'은 부사어이며, '张三去超市买菜'는 목적어이다. 이때 목적어는 명사절이고, 이 명사절 안에 부사절 '去超市'가 또 발견된다. 두 내포문을 구별하기 위해 '张三去超市买菜'를 1차 내포문, '去超市'를 2차 내포문이라고 부르기로 한다. 이때 주어 '张三'은 1차 내포문과 2차 내포문 모두에서 주어가 될 수 있다. (2나)는 2차 내포문의 주어로 분석한 것이고, (2다)는 1차 내포문의 주어로 본 것이다. 모문과 내포문이 경쟁할 때 상위절인 모문의 손을 들어준 것처럼, 두 개의 내포문이 경쟁할 때에도 상위절인 1차 내포문이 우선권을 가진다. 즉, 중국어 해석문법은 (2다)의 분석을 선호하는 것이다. 이와 같은 문장 분석의 태도를 '상위절 성분의 우선 확보' 원칙이라 부른다.

이중 주어나 이중 목적어 불인정

해석문법의 또 다른 중요한 원칙은 문장에서 두 개의 주어나 목적어를 인정하지 않는다는 것이다. 1자리 서술어인데 두 개의 주어 형태가 나올 때 그중 하나는 단독 X이고, 타동사 3자리 서술어인데 두 개의 목적어 형태가 나올 때 그중 하나는 C로 처리한다. 먼저 주어의 경우부터 살펴보기로 한다.

(3) 이중 주어 구문이라 불리는 문장의 처리
　　大象鼻子长。
　　⇒ $X_{0\text{-}1\text{-}0}A_{0\text{-}1\text{-}0}E_{31}N_1P_1$

문장 (3)은, '기타 정보 분석 틀'의 단독(X)에 대해 설명하는 2.1.5 절 및 2.2.4절의 예시 (42)에서 살펴봤던 문장이다. 여기서 '大象' 과 '鼻子'가 동시에 주어일 수 없는 것은 서술어 '长'이 '형용사, 1 자리'이기 때문이다. 서술어가 요구하는 명제성분이 하나이므로 비록 주어처럼 생긴 것이 두 개 나와 있더라도 그중 한 개만 주어로 인정될 수 있는 것이다.

이어서, 목적어로 간주될 만한 것이 두 개 나오는 경우를 살펴본다. 타동사 3자리 서술어 구문에서 이러한 일이 발생할 경우, 그중 하나는 C로 처리한다. 먼저 수여동사 구문을 고찰한다.

(4) 두 개의 목적어 형태 중 하나가 C로 처리되는 경우1
　　가. 我送张三一本书。
　　나. 我送一本书给张三。
　　다. 我给张三送一本书。
　　다′. *我把一本书送张三。
　　라. 我把一本书送给张三。

문장 (4)에서 '送'은 '타동사, 3자리' 서술어이며, (4가)의 '张三'과 (4나)의 '给张三'의 의미적 역할이 같다. 모두 '나로부터 책을 선물받는 사람'이다. 논항의 성격은 서술어와의 의미적인 관계에 기초하여 결정되는데, 이러한 점에서 비록 (4가)에서 '张三'이 서술어 바로 뒤에, 즉 일반적으로는 목적어 자리라고 알려진 곳에 위치하였지만 '张三'은 실은 (4나)의 '给张三'처럼 보어 성격을 지닌다.

(4다)와 (4다′), (4라)에서 이를 확인할 수 있다. 즉, (4가)의 두 개의 목적어 형태 중 보어 성격을 지닌 '张三'을 (4다)처럼 서술어 앞으로 옮기는 경우는 정문이지만, (4다′)처럼 보어 성격을 지닌 '张三'을 목적어 자리에 두고 진정한 목적어 '一本书'를 '把'를 통해 서술어 앞으로 옮기면 비문이 된다. 그러나 (4다′)의 '张三'을 (4라)처럼 전치사 '给'를 삽입하여 '张三'이 목적어가 아닌 전치사구 보어임을 표시해 주면 (4다′)의 비문법성이 해소된다. 요컨대, 두 개의 목적어 형태 중 서술어의 바로 뒤에 나오는 요소는 목적어가 아니라 보어이다.

앞선 논의에 따라 (4)의 문장들을 분석하기로 한다. 문장 (4가)~(4다)에 등장한 서술어 '送'은 '타동사, 3자리'이며, 각 문장에 주어와 목적어, 보어가 실현되어 있다. 이를 표시하면, (4가)의 '我送张三一本书。'는 '$A_{0\text{-}4\text{-}0}E_{23}C_{0\text{-}2\text{-}0}B_{3<3>\text{-}1\text{-}0}N_1P_1$'이고, (4나)의 '我送一本书给张三。'은 '$A_{0\text{-}4\text{-}0}E_{23}B_{3<3>\text{-}1\text{-}0}C_{0\text{-}2\text{-}2}N_1P_1$'이며, (4다)의 '我给张

三送一本书。'는 '$A_{0-4-0}C_{0-2-2}E_{23}B_{3<3>-1-3}N_1P_1$'이 된다.

문장 (4라)는 앞의 (4가)~(4다)와는 다른 양상을 보인다. 즉, 목적어 '一本书'가 전치사 '把'에 의해 서술어 앞으로 이동하면서 '把一本书'가 보어가 되었고, 서술어 뒤에 놓인 '给张三'도 보어임으로, (4라)의 서술어 '送'은 '자동사, 3자리'로서 'E_{13}'이 된다. 따라서 (4라)의 '我把一本书送给张三。'은 '$A_{0-4-0}C_{3<3>-1-3}E_{13}C_{0-2-2}N_1P_1$'로 분석된다. (4)에서 등장한 문장들의 분석 결과는 아래 (5)와 같이 정리된다.

(5) 두 개의 목적어 형태 중 하나가 C로 처리되는 경우1의 처리

　가. $A_{0-4-0}E_{23}C_{0-2-0}B_{3<3>-1-0}N_1P_1$

　나. $A_{0-4-0}E_{23}B_{3<3>-1-0}C_{0-2-2}N_1P_1$

　다. $A_{0-4-0}C_{0-2-2}E_{23}B_{3<3>-1-3}N_1P_1$

　라. $A_{0-4-0}C_{3<3>-1-3}E_{13}C_{0-2-2}N_1P_1$

이상의 내용을 정리하면, '타동사, 3자리' 서술어가 쓰인 문장에서 서술어 뒤에 두 개의 목적어 형태를 가진 성분 중, 서술어 바로 뒤의 성분은 목적어가 아닌 보어로 처리한다. 그리고 서술어 뒤의 목적어가 '把'에 의해 서술어 앞으로 이동할 경우, 서술어가 타동성에서 자동성으로 바뀌지만 자릿수는 바뀌지 않는다는 점에 유의해야 한다.[28]

_____

28) 하나의 서술어가 자릿수를 유지한 채 자동사와 타동사의 모습을 번갈

(6) 두 개의 목적어 형태 중 하나가 C로 처리되는 경우2

    가. 我问老师一个问题。

    나. 我向老师问一个问题。

    다. *我问一个问题向老师。

(4가)와 마찬가지로, (6가)에서도 목적어처럼 생긴 것 중의 하나가 보어이다. '问'은 '타동사, 3자리' 서술어로서, (6가)의 목적어 자리에 나타난 '老师'와 (6나)의 '向老师'는 문장 내 의미적 역할이 같다. 이러한 점에서 비록 (6가)에서 '老师'가 서술어 바로 뒤에, 즉 일반적으로는 목적어 자리라고 알려진 곳에 놓였지만, 사실은 (6나)의 '向老师'처럼 보어 성격을 지닌다. 따라서 중국어 해석문법에서는 (6가)의 '老师'를 보어로 분석된다.

(4다)의 '给张三'과 (6나)의 '向老师'의 경우, 전치사가 결합된 보어는 서술어 앞으로 옮기는 것이 가능하다. 그러나 전치사가 결합된 보어를 목적어 뒤로 이동했을 때 (4나)는 정문이었지만, (6다)는 비문이 되는 것을 확인할 수 있다. 이를 통해, (4가)와 (6가)가 동일한 유형의 문장인 것처럼 보이지만, 이들 문장에 쓰인 서술어는 미시적으로 구별되는 '타동사, 3자리' 서술어임을 알 수 있다. (6)의 분석 결과는 아래 (7)과 같다.

아 보이는 양상을 중국어 문장에서 어렵지 않게 만날 수 있는데, 이에 대한 논의는 아래 각주 32)에서 확인할 수 있다.

(7) 두 개의 목적어 형태 중 하나가 C로 처리되는 경우2의 처리

　가.　$A_{0-4-0}E_{23}C_{0-1-0}B_{3<3>-1-0}N_1P_1$

　나.　$A_{0-4-0}C_{0-1-2}E_{23}B_{3<3>-1-0}N_1P_1$

이상으로 중국어 해석문법에서 지켜야 할 기본 원칙을 크게 두 가지로 나눠서 살펴보았다. 이제 문장 분석의 세세한 국면에서 복잡하고 다양한 중국어 문장을 어떻게 해석문법으로 분석할 수 있는지 살펴보기로 한다.

3.2 서술어 분석의 심화

문장이 복잡한 것은 서술어가 복잡해서일 수 있는데, 한 문장을 제대로 다루기 위해서는 서술어를 깊이 있게 들여다봐야 한다. 이제부터 몇 가지 중요한 서술어에 초점을 두고 중국어 문장을 면밀히 살펴보고자 한다. 먼저 '是'자문부터 시작하기로 한다.

3.2.1 '是'자문

'是'자문의 '문'은 구문을 뜻하는 말로, 문법적인 구성을 뜻한다.[29] '是'자문이란 '是'가 중심이 되어 만드는 문법적 구성이다. 먼저 기

---

29) 김의수(2023:188)에서 구문에 대한 정의를 참고할 수 있다.

본적인 '是'자문 예문을 고찰해 보기로 한다.

(8) '是'자문 정보 표시 사례1

张三<u>是学生</u>。

$\Rightarrow A_{0\text{-}2\text{-}0}E_7E_{431<0\text{-}1\text{-}0>}N_1P_1$

문장 (8)에서 서술어 '是张三'은 형식서술어 '是'와 실질서술어 '学生'이 결합한 것이다. 먼저 실질서술어 '学生'은 체언이 서술어가 된 경우이고, '형용사성, 1자리'이기 때문에 'E_{431}'이 된다. 또한 '学生'은 체언이기 때문에 체언 성분의 정보 표시를 갖는다. 관형어는 없고, 핵은 고유명사이며, 전치사도 없으므로 <0-1-0>으로 표시되며, 이는 서술어 정보 뒤에 추가된다. 이렇게 '张三'의 분석 결과는 '$E_{431<0\text{-}1\text{-}0>}$'이 된다. 그리고 형식서술어 '是'는 '$E_7$'인데, 이를 뒤의 실질서술어와 합치면 '$E_7E_{431<0\text{-}1\text{-}0>}$'이 되어 복합서술어 정보가 완성된다.

복합서술어 중 실질서술어 '学生'은 '형용사성, 1자리'이므로 이 문장에서는 주어 하나만을 논항으로 요구한다. 문장 (8)에서 주어 '张三'의 정보는 '$A_{0\text{-}2\text{-}0}$'으로 표시된다. 뒤에 나온 양태정보를 추가하면, (8가)는 '$A_{0\text{-}2\text{-}0}E_7E_{431<0\text{-}1\text{-}0>}N_1P_1$'로 분석된다.

이어서 살펴볼 예문은 조금 더 복잡한 구성이다.

(9) '是'자문 정보 표시 사례2

今天我们的任务是专题讨论。

$\Rightarrow D_{0-1-0}A_{4-1-0}\underline{E_7E_{422<3-1-0>}}N_1P_1$

문장 (9)에서 '是'는 형식서술어 'E_7'이고, 실질서술어 '讨论'은 '타동사성, 2자리'이므로 'E_{422}'가 된다. '专题讨论'의 체언 정보는 <3-1-0>으로, 실질서술어 정보 뒤에 추가하면 '$E_7E_{422<3-1-0>}$'이 얻어지며, 복합서술어 정보가 완성된다. 문장 (9)에서 '我们的任务'는 주어로서 'A_{4-1-0}'이 되고, '今天'은 부사어로 'D_{0-1-0}'이 된다. 이를 종합하면, 문장 (9)는 '$D_{0-1-0}A_{4-1-0}E_7E_{422<3-1-0>}N_1P_1$'로 표시된다.

다음으로 살펴볼 예문은 '是' 뒤에 절이 오는 경우이다.

(10) '是'자문 정보 표시 사례3

今天的安排是和张三一起玩。

$\Rightarrow A_{4-1-0}\underline{E_7E_{431<0-7-0>}(D_{0-2-2}DE_{11})}N_1P_1$

문장 (10)에서 서술어는 '是和张三一起玩'이다. 형식서술어는 '是'이고, 실질서술어 '和张三一起玩'은 명사절 내포문으로서, 체언 성분으로 취급해야 한다. 따라서 '和张三一起玩'은 '$E_{431<0-7-0>}$'이 되며, 핵인 절 정보를 분석하여 괄호 안에 넣어 서술어 뒤에 붙이면 '$E_{431<0-7-0>}(D_{0-2-2}DE_{11})$'이 된다. 또한 실질서술어 '和张三一起玩'은 '형용사성, 1자리'로서 주어만을 요구하는데, 문장 (10)에서 '今

天的安排'가 주어이며 'A_{4-1-0}'으로 분석된다. 이를 종합하면, 문장 (10)은 '$A_{4-1-0}E_7E_{431}<0-7-0>(D_{0-2-2}DE_{11})N_1P_1$'이 된다.

마지막으로 살펴볼 예문은 '是' 뒤에 감탄사가 나오는 경우로, 2.1.3절에서 나왔던 예문이다.

(11) '是'자문 정보 표시 사례4

她惊讶地喊出的<u>是哎呀</u>。

⇒ $A_{5-3-0}(A_{0-4-0}D(E_{31})E_{22})\underline{E_7E_{531}}N_1P_1$

문장 (11)에서 서술어는 '是哎呀'이다. 형식서술어 '是'는 'E_7'이고, 실질서술어 '哎呀'는 체언도 용언도 아닌 감탄사로서, '형용사성, 1자리'이며 'E_{531}'로 표시된다. 실질서술어 '哎呀'의 주어는 '她惊讶地喊出的'이다. 문장 (11)은 '$A_{5-3-0}(A_{0-4-0}D(E_{31})E_{22})E_7E_{531}N_1P_1$'로 분석된다.

문장 (11)은 체언도 아니고 용언도 아닌 감탄사가 실질서술어 노릇을 하는 예이다. 이처럼, 체언도 아니고 용언도 아니면서 실질서술어 기능을 하는 예를 离合词(이합사)의 어근 분리에서도 찾아 볼 수 있다.

다음에 이어지는 3.2.2절에서 离合词(이합사)[30]의 어근 분리에 대

---

30) 离合词(이합사)는 하나의 형태소가 다른 하나의 형태소와 결합하여

해 자세히 논의하기로 한다.

3.2.2 어근 분리

사전에 등재되어 있는 단어는 모두 하나의 단어로, 단일어이거나 복합어이다. 문장 분석에서는 그러한 단어의 내부를 들여다보지 않는다.

그러나 실제 문장 분석에서는 사전에 등재된 단어임에도 불구하고 문장 안에서 분리되어 사용되는 경우를 종종 만나게 된다. 파생어나 합성어가 문장 안에서 분리되어 사용되는 일은 언어학적으로는 큰 부담이 되는 일이지만 실제 벌어지는 일로서, 본 해석문법에서는 이러한 언어 현상을 있는 그대로 잘 기술해 주는 데 초점을 둔다. 중국어에서는 합성 용언이 어근 분리를 겪는 것으로 확인된다.

(12) 离合词(이합사) '吃亏'의 어근 분리 사례

　　가. 我们在交易中吃亏了。

　　　　⇒ $A_{0-4-0}D_{3-1-2}E_{11}T_2S_4N_1P_1$

만들어진 단어로, 사전에 등재되어 있다. 두 개의 다른 형태소가 결합하여 만들어진 离合词(이합사)는 의미가 불투명하여 하나의 단어처럼 기능하지만, 형태적으로는 두 형태소 사이에 다른 성분이 삽입될 수 있어서 마치 내부가 투명한 구처럼 기능하는 동사이다. 『现代汉语词典(현대한어사전)』에서는 ' ∥ '를 사용하여 표제어가 离合词(이합사)임을 표시해 주고 있다.

나. 我们在交易中<u>吃了大亏</u>了。

$\Rightarrow A_{0-4-0}D_{3-1-2}\underline{E_2E_{5115}(E_{31})}T_{12}S_{14}N_1P_1$

(12가)에서 '吃亏'는 동사 '吃(먹다)'와 명사 '亏(손해)'가 결합하여 만들어진 합성어로, 사전에 등재되어 있다. 합성어가 만들어지면서 '손해를 먹다'가 아닌 '손해를 보다'로 의미가 변해 버렸다. 즉, 내부를 분석할 수 없는 하나의 단어로 봐야 한다. 그런데 (12나)를 보면, 하나의 단어 '吃亏'사이에 '了'와 '大'가 삽입된 모습으로 문장에 등장한다. 즉 내부가 불투명한 복합어를 만들어 놓고 다시 내부가 투명한 구처럼 사용하여, 이를 '어근 분리'라 부르는 것이다.

(12가)의 '吃亏'는 '자동사, 1자리' 서술어로서 'E_{11}'로 분석한다. 그러나 (12나)는 离合词(이합사) '吃亏'사이에 양태성분인 '了'와 형용사 '大'가 삽입되어, 합성어의 어근이 분리된 모습을 보이는데, 이런 어근 분리 현상을 해석문법에서 어떻게 표시하는지 살펴보기로 한다.

중국어는 의미의 중심이 되는 요소가 뒤에 오는 것이 일반적이다. 즉, 중국어는 경동사가 체언 서술어 앞에 나타나고, 형식서술어가 실질서술어 앞에 나타난다. 따라서 (12나)의 '吃了大亏'에서 의미 중심이 되는 성분은 '亏'이고, '亏'와 분리된 '吃'는 타동사지만 자릿수 정보를 드러낼 수 없는 불완전한 자동사로, 'E_2'로 표시한다.

그리고 '得'는 용언도 아니고 체언도 아닌 서술어이므로, 'E_5'로 표시하고, 의미의 중심이 되는 요소이기 때문에 '자동사성, 1자리' 정보를 표시하여 'E_{511}'이 된다. 그리고 형용사 '大'가 '得' 앞에 놓여 '得'를 수식하고 있는데, 형용사 '大'가 절이므로 'E_{511}' 뒤에 5번을 추가하고, 관형사절 '大'의 정보인 'E_{31}'을 괄호 안에 넣어 주어야 한다. 이상의 내용을 종합하면, (12나)의 '吃了大得'의 정보는 '$E_2E_{5115}(E_{31})$'이 된다.

합성어의 어근 분리 사례를 하나 들었는데, 이 외에도 문장 분석에서 만날 수 있는 어근 분리의 몇 가지 예를 더 살펴보기로 한다.

(13) 어근 분리의 추가 예시

　　가. 他向老师<u>告</u>张三的<u>状</u>。

　　　⇒ $A_{0-4-0}C_{0-1-2}E_2E_{5124}N_1P_1$

　　나. 张三向老师<u>鞠</u>了三次<u>躬</u>。

　　　⇒ $A_{0-2-0}D_{0-1-2}E_{2-4}E_{511}T_1S_1N_1P_1$

문장 (13가)에서 '告张三的状'은 '告状'이라는 합성어에 '체언+的'의 관형어 '张三的'가 끼어든 것이고, (13나)에서 '鞠了三次躬'은 '鞠躬'에 어근 분리가 일어나고 그 사이에 '了'와 '三次'가 끼어든 예이다.

(13가)에서 '状'은 '告状'의 '자동사, 2자리'를 계승하는데, '체언+

的'의 관형어 '张三的'가 '告'를 수식하고 있으므로 'E$_{5124}$'가 된다. '告'는 뒤에 체언 성분의 형태 '张三的状'이 있기 때문에 타동사 'E$_2$'로 표시한다. 이는 '告状'의 타동사 '告'에 준하는 것으로 당연히 자릿수는 가질 수 없다.

(13나)에서 '躬'은 '鞠躬'의 '자동사, 1자리'를 계승하고 있으므로 'E$_{511}$'이 된다. '鞠'는 뒤에 체언 성분의 형태 '躬'이 있기 때문에 타동사 'E$_2$'가 되며, 역시 자릿수는 가질 수 없다. (13가)에서는 관형어가 삽입되었다면, (13나)에서는 수량补语(보어)가 삽입되어 있는데, 수량补语(보어) 정보는 동사에 결합되어야 하므로, 'E$_{2-4}$'로 표시한다.

문장을 분석하다 보면 이와 같은 복합어들의 어근 분리를 겪은 것을 종종 만나게 되는데, 서술어의 정보를 정확하게 파악해야 분석 과정이 순조롭게 진행될 수 있다.

3.2.3 서술어 주변 정보: 补语(보어)

앞의 2.1.3절에서 '补语(보어)의 종류'를 살펴보았는데, '补语(보어)의 종류' 중 '서술어-결과补语(보어)' 구성은 매우 생산적이고, 단어로 어휘화하는 경향이 있으며, 사전에 수록되어 있다는 점에 착안하여, 이를 하나의 단어(복합어)로 간주하기로 했다. 또한 방향补语(보어) 중 합성 방향补语(보어)를 단일 방향补语(보어)로 해체하여 분석하기로 했다. 본 절에서는 이와 관련하여 다양한 예문을 통해 논의하기로 한다. 먼저 방향补语(보어)의 예를 살펴보기로 한다.

방향补语(보어)

(14) 하나의 방향补语(보어)가 결합하는 경우

가. 张三从图书馆<u>拿来</u>了一本书。

$\Rightarrow A_{0-2-0}D_{0-1-2}\underline{E_{22-1}}B_{3<3>-1-0}T_1S_1N_1P_1$

나. 张三从图书馆<u>拿</u>一本书<u>来</u>了。

$\Rightarrow A_{0-2-0}D_{0-1-2}\underline{E_{22-2}}B_{3<3>-1-0}T_1S_1N_1P_1$

문장 (14가)에서 서술어 '拿'는 '타동사, 2자리'이고, 방향补语(보어) '来'가 인접하여 결합하였으므로 'E_{22-1}'이 된다. (14나)는 방향보어가 인접한 위치만 다르고, 나머지 정보는 (14가)와 같다. (14나)에서는 방향补语(보어) '来'가 서술어와 분리하여 결합하였으므로 'E_{22-2}'가 된다.

(15) 2개의 방향补语(보어)가 결합하는 경우

가. 张三<u>拿出来</u>一本书。

$\Rightarrow A_{0-2-0}E_{22-11}B_{3<3>-1-0}N_1P_1$

나. 张三<u>拿出</u>一本书<u>来</u>。

$\Rightarrow A_{0-2-0}E_{22-12}B_{3<3>-1-0}N_1P_1$

다. 张三<u>拿</u>一本书<u>出来</u>。

$\Rightarrow A_{0-2-0}E_{22-22}B_{3<3>-1-0}N_1P_1$

문장 (15)는 '타동사, 2자리' 서술어인 '拿'에 2개의 방향补语(보어)가 결합한 문장이다. (15가)는 2개의 방향补语(보어)가 모두 서술어 바로 옆에 놓여 있으므로 'E$_{22-11}$'로 표시하고, (15나)는 하나의 방향补语(보어)는 서술어에 인접해 있고 다른 하나는 목적어에 의해 서술어와 분리해 있으므로 'E$_{22-12}$'로 표시한다. 그리고 (15다)는 2개의 방향补语(보어)가 목적어에 의해 모두 서술어와 분리되어 있으므로 'E$_{22-22}$'로 표시한다.

(16) 방향补语(보어)로 분석하지 않는 경우

　　가. 他从上海飞来北京。

　　　$\Rightarrow A_{0-2-0}D_{0-2-2}E_{12}C(E_{22}B_{0-2-0})N_1P_1$

　　나. 人们跑上山来了。

　　　$\Rightarrow A_{0-1-0}E_{12}C(E_{22-2}B_{0-1-0})T_2S_4N_1P_1$

　　다. 我把衣服寄回家去了。

　　　$\Rightarrow A_{0-4-0}C_{0-1-3}E_{12}D(E_{22-2}B_{0-1-0})T_2S_4N_1P_{1-}$

문장 (16)은 '이동동사+방향동사+장소목적어' 구성의 여러 가지 예를 보인 것인데, 이때, 방향동사는 이동동사의 补语(보어)로 기능하는 것이 아니라 내포문의 서술어가 된다.

(16가)의 서술어 '飞'와 장소목적어 '北京', (16나)의 서술어 '跑'와 장

소목적어 '山', (16다)의 서술어 '寄'와 장소목적어 '家'는 모두 직접적으로 의미적인 관계를 맺지 않는다. 즉, 장소목적어가 서술어의 필수성분으로 기능하지 않음을 뜻한다. 장소목적어들은 오히려 선행하는 방향동사와 그 의미적 관계가 더 뚜렷하게 드러나며, '来北京', '上山', '回家'의 결합이 훨씬 자연스럽다. 이러한 점에 착안하여 중국어 해석문법에서는 '이동동사+방향동사+장소목적어' 구성에서는 방향동사를 모문 서술어의 补语(보어)가 아닌 내포문의 서술어로 분석한다.

(16가)에서 서술어 '飞'는 '자동사, 2자리'로서, 주어와 보어를 필수성분으로 요구한다. '他'는 주어이고, '从上海'는 부사어이며, '来北京'은 보어(절)이다. 이때 보어절의 서술어 '来'는 '타동사, 2자리'로서, '北京'을 목적어로 요구한다. 이를 종합하면, (16가)는 $A_{0\text{-}2\text{-}0}D_{0\text{-}2\text{-}2}E_{12}C(E_{22\text{-}2}B_{0\text{-}2\text{-}0})N_1P_1$'로 표시할 수 있다.

(16나)에서 서술어 '跑'는 '자동사, 2자리'로서 주어와 보어를 필수성분으로 요구한다. '人们'는 주어이고, '上山'은 보어(절)이다. 이때 보어절의 서술어 '上'은 '타동사, 2자리'로서, '山'을 목적어로 취한다. 그리고 방향补语(보어) '来'가 뒤따르고 있는데, 이는 목적어 '山'에 의해 분리되어 있다. 이를 정리하면, (16나)는 $A_{0\text{-}1\text{-}0}E_{12}C(E_{22\text{-}2}B_{0\text{-}1\text{-}0})T_2S_4N_1P_1$'이 된다. 여기에서 유의해야 할 것은, '来'가 (16가)에서는 동사로 기능하였지만, (16나)에서는 방향补语(보어)로 기능한다는 것이다. 즉, (16나)에서 '上'은 동사로서 내포문의 서술어이고, '来'는 내포문 서술어의 방향补语(보어)인 것이다.

(16다)에는 (16가)와 (16나)에 없는 보어 '把衣服'가 더 실현되어 있다. 이때 유의해야 할 것은, (16가)와 (16나)의 보어(절)은 모두 주어에 대해 보충 설명을 하고 있고, (16다)의 부사어(절) '回家'는 주어가 아닌 목적어에 대해 보충 설명하고 있다는 것이다. 즉, (16다)의 '回家'는 (16가)와 (16나)의 '来北京', '上山'에 비해서는 부차적인 것이므로, (16다)에서는 보어가 아닌 부사어로 분석해야 한다.

(16다)에서 '寄'는 '자동사, 2자리' 서술어로서, 주어와 보어를 필수성분으로 요구한다. '我'는 주어이고, '把衣服'는 보어이며, '回家'는 부사어(절)이다. 부사절의 서술어 '回'는 '타동사, 2자리'로서 주어가 생략되었고, '家'가 목적어가 된다. 이상의 내용을 종합하면, (16다)는 '$A_{0-4-0}C_{0-1-3}E_{12}D(E_{22-2}B_{0-1-0})T_2S_4N_1P_1$'이 된다.

'이동동사+방향동사+장소목적어' 구성에서 방향补语(보어)로 취급되었던 것들이 내포절의 서술어로 기능할 때의 예문을 살펴보았다. '이동동사+방향동사+장소목적어' 구성은 방향补语(보어)가 아닌 동사로 분석해야 하는 예외적인 경우에 해당하므로 분석할 때 유의해야 한다.

이렇게 방향补语(보어)에 대해서 방향补语(보어)가 1개 실현되었을 때, 2개 실현되었을 때, 그리고 방향补语(보어)가 아닌 서술어로서 기능하는 조건에 대해 구체적으로 살펴보았다. 이어서, 가능补语(보어)의 다양한 예문들을 살펴보기로 한다.

가능补语(보어)

'서술어-결과补语(보어)', '서술어-방향补语(보어)', '서술어-방향동사' 사이에 '得/不'가 삽입될 때 문장이 가능의 의미를 나타내는데, 이때 서술어에 후행하는 성분을 가능补语(보어)라고 부른다. 아래에 다양한 가능补语(보어)들의 분석 방법에 대해 구체적으로 살펴보기로 한다.

(17) 가능补语(보어) 정보 표시 사례1

我吃<u>得/不</u>完一碗面。

$\Rightarrow A_{0\text{-}4\text{-}0}E_{22\text{-}6}E_1B_{3<3>\text{-}1\text{-}0}N_1P_1$

문장 (17)은 '서술어-결과补语(보어)' 구성인 복합서술어 '吃完'에 '得/不'가 삽입된 예문이다. 복합서술어 '吃完'은 '타동사, 2자리'로서, 주어와 목적어를 필수성분으로 요구한다. 따라서 문장 (17)에서 '我'는 주어($A_{0\text{-}4\text{-}0}$)이고, '一碗面'은 목적어($B_{3<3>\text{-}1\text{-}0}$)이다. 복합서술어 '吃完' 사이에 '得/不'가 삽입되면서 가능补语(보어) 구성이 된다. 이때, '吃'는 서술어로의 기능이 그대로 유지되어 'E_{22}'로 표시하고, 뒤에 가능补语(보어)가 결합했기 때문에 '6'을 추가하며, '完'은 'E_1'로 표시한다. 복합어를 만들 때 참여했던 자동사로 간주하되, 자릿수까지 가지지는 못하는 불완전한 용언으로 표시한 것이다. 이상의 내용을 종합하면, (17)은 '$A_{0\text{-}4\text{-}0}E_{22\text{-}6}E_1B_{3<3>\text{-}1\text{-}0}N_1P_1$'로 표시할 수 있다.

가능补语(보어)가 부사어의 수식을 받는 경우도 있다. 아래 제시된 예문을 살펴보기로 한다.

(18) 가능补语(보어) 정보 표시 사례2

我说不<u>太</u>准。

$\Rightarrow A_{0\text{-}4\text{-}0}E_{22\text{-}6}\underline{D}E_3N_1P_1$

문장 (18)은 복합서술어 '说准'에 '得/不'가 삽입된 예문이다. 복합서술어 '说准'은 '자동사, 1자리'로서, 하나의 주어만을 요구한다. 따라서 문장 (18)에서 '我'가 주어이며, '$A_{0\text{-}4\text{-}0}$'으로 표시된다. 복합서술어 '说准' 사이에 '不'가 삽입되면서 가능补语(보어) 구성이 된다. 이때, '说'는 서술어로서의 기능이 그대로 유지되어 'E_{22}'로 표시하고, 뒤에 가능补语(보어)가 결합했기 때문에 '6'을 추가하며, 补语(보어) '准'은 형용사이지만 자릿수가 없으므로 'E_3'으로 표시한다. 补语(보어) 앞에 부사 '太'가 나와 있는데, 부사가 부사어로 쓰였으므로 补语(보어) 앞에 'D'를 표시해 주면 된다. 이상의 내용을 종합하면, (18)은 '$A_{0\text{-}4\text{-}0}E_{22\text{-}6}DE_3N_1P_1$'로 표시할 수 있다.

계속해서 방향补语(보어)가 결과의 의미로 쓰일 때의 예문을 살펴보기로 한다.

(19) 방향补语(보어)가 결과의 의미로 쓰일 경우

　가. 我们一定想得/不出办法。

　　⇒ $A_{0-4-0}DE_{22-6}E_1B_{0-1-0}N_1P_1$

　나. 我们一定想得/不出来办法。

　　⇒ $A_{0-4-0}DE_{22-6}E_{1-1}B_{0-1-0}N_1P_1$

　다. 我们一定想得/不出办法来。

　　⇒ $A_{0-4-0}DE_{22-6}E_{1-2}B_{0-1-0}N_1P_1$

문장 (19가)에서 '想出'는 '서술어-방향补语(보어)'인 듯 보이지만 실은 '서술어-결과补语(보어)' 구성이다. 방향补语(보어)가 결과의 의미를 나타내기 때문이다. 따라서 '想出'는 '타동사, 2자리' 복합서술어이며, 주어와 목적어를 필수성분으로 요구한다. 문장 (19가)에서 '我们'은 주어(A_{0-4-0})이고, '办法'는 목적어(B_{0-1-0})이다. 복합서술어 '想出' 사이에 '得/不'가 삽입되면서 가능补语(보어) 구성이 된다. 이때, '想'은 서술어로서의 기능이 그대로 유지되어 'E_{22}'로 표시하고, 뒤에 가능补语(보어)가 결합했기 때문에 '6'을 추가하며, 补语(보어) '出'는 자동사이지만 자릿수가 없으므로 'E_1'로 표시한다. 그 외 부사어 '一定'은 부사로서, 'D'를 표시해 주면 된다. 이상의 내용을 종합하면, (19가)는 '$A_{0-4-0}DE_{22-6}E_1B_{0-1-0}N_1P_1$'이 된다.

문장 (19가)에 방향补语(보어) '来'가 추가로 결합된 문장이 (19나)와 (19다)이다. (19나)에서는 '来'가 '出' 바로 옆에 놓여 있으므로

'E$_{1-1}$'로 표시하고, (19다)에서는 '来'가 '出'가 아닌 목적어 '办法' 옆에 결합하였으므로 'E$_{1-2}$'로 표시한다. 즉, (19나)는 'A$_{0-4-0}$DE$_{22-6}$E$_{1-1}$B$_{0-1-0}$N$_1$P$_1$'이 되고, (19다)는 'A$_{0-4-0}$DE$_{22-6}$E$_{1-2}$B$_{0-1-0}$N$_1$P$_1$'로 표시된다.

계속해서, 가능补语(보어) 구성에서 방향 동사가 쓰인 문장을 살펴보기로 한다.

(20) 방향동사가 방향의 의미로 쓰일 경우

　가. 我爬得/不上这座山。

　　⇒ A$_{0-4-0}$E$_{12-6}$C(E$_{22}$B$_{3<3>-1-0}$)N$_1$P$_1$

　나. 我爬得/不上去这座山。

　　⇒ A$_{0-4-0}$E$_{12-6}$C(E$_{22-1}$B$_{3<3>-1-0}$)N$_1$P$_1$

문장 (20가)에서 서술어 '爬'와 방향동사 '上' 사이에 '得/不'가 삽입되면서 가능补语(보어) 구성이 되었다. 앞의 문장 (16)에서 방향동사들이 방향의 의미를 나타낼 때 방향补语(보어)가 아닌 서술어로 분석한다고 밝혔다. 따라서 (20가)에서 모문 서술어 '爬'의 补语(보어)는 '上'이 아니라 '上这座山' 전체가 '得/不'과 같이 가능보어补语(보어)로 기능하게 된다. (20가)에서 '爬'는 '자동사, 2자리' 서술어로서, 주어와 보어를 요구한다. 주어 '我'는 'A$_{0-4-0}$'이 되고, 보어는 절이므로 C로 표시하고, 절 '上这座山'의 정보인 'E$_{22}$B$_{4<3>-1-0}$'을 괄호 안에 넣어 주면 된다. 그리고 '爬' 뒤에 가능补语(보어)가 결합하였으므로

'E_{12-6}'이 된다. 이상의 내용을 종합하면, (20가)는 '$A_{0-4-0}E_{12-6}C(E_{22}B_3$
$_{<3>-1-0})N_1P_1$'로 표시할 수 있다.

(20나)는 (20가)에 방향补语(보어) '去'가 추가로 결합한 예이다.
'去'는 내포문의 서술어 '上' 바로 옆에 놓여 있으므로 '1'을 추가하
면, (20나)는 '$A_{0-4-0}E_{12-6}C(E_{22-1}B_{3<3>-1-0})N_1P_1$'로 표시된다.

상태补语(보어)

'得'로 연결되는 补语(보어)에는 가능补语(보어)와 상태补语(보어)가
있다. 서술어 뒤에 '得'가 결합되었을 때, 가능의 의미가 아닌 그 외
의 것은 모두 상태补语(보어)로 분류된다. 상태补语(보어)에서 '得'
대신 드물게 '个'나 '得个'가 오는 경우도 있다. 중국어 해석문법에서
는 '得'에 의해 연결되는 补语(보어)를 부사어로 분석한다.

(21) 상태补语(보어)의 정보 표시 사례1
　　李老师每天工作<u>得很晚</u>。
　　⇒ $A_{3-1-0}DE_{11-7}D(DE_{31})N_1P_1$

문장 (21)에서 '工作'는 '자동사, 1자리' 서술어로, 주어만을 요구
한다. '每天'과 '很晚'은 모두 부사어인데, '很晚'은 '得'에 의해 서
술어 뒤에 연결되어 있는 부사어(절)이다. 서술어 '工作'는 'E_{11}'로
표시되는데, '得'에 의해 상태补语(보어)가 연결되어 있으므로 '7'을

추가로 표시하여 'E$_{11-7}$'이 된다. 주어 '李老师'는 'A$_{3-1-0}$'으로, 부사어 '每天'은 'D$_{0-1-0}$'으로, 부사절 '很晚'은 'D(DE$_{31}$)'로 표시한다. 이를 종합하면, (21가)는 'A$_{3-1-0}$DE$_{11-7}$D(DE$_{31}$)N$_1$P$_1$'로 나타낼 수 있다.

문장 (21)은 서술어가 자동사일 때 뒤에 상태补语(보어)가 결합하는 경우이다. 이어서, 서술어가 타동사일 때 뒤에 상태补语(보어)가 결합하는 경우를 살펴보기로 한다.

(22) 상태补语(보어)의 정보 표시 사례2

　　가. 小朋友写汉字写<u>得比我好</u>。

　　　　⇒ A$_{0-1-0}$E$_2$B$_{0-1-0}$E$_{22-7}$D(D$_{0-4-2}$E$_{31}$)N$_1$P$_1$

　　나. 小朋友汉字写<u>得比我好</u>。

　　　　⇒ A$_{0-1-0}$B$_{0-1-0}$E$_{22-7}$D(D$_{0-4-2}$E$_{31}$)N$_1$P$_1$

　　다. 小朋友写<u>得比我好</u>。

　　　　⇒ A$_{0-1-0}$E$_{22-7}$D(D$_{0-4-2}$E$_{31}$)

문장 (22가)는 주어 '小朋友', 두 개의 동일한 동사 '写', 목적어 '汉字', 상태补语(보어) '比我好'가 나타나 있다. 서술어 '写'는 '타동사, 2자리'로서, 주어와 목적어를 요구한다. 그리고 상태补语(보어)는 부사어로 분석되므로, (22가)의 두 개의 동사 중 하나만 진짜 동사인 것이다. (22나)를 보면 목적어 앞에 있던 동사 '写'가 실현되지 않았는데도, (22다)의 경우, 동사 '写'와 목적어 '汉字'가 모두 실현되지 않았는데도 정문이다. 이를 통해, (22가)에서 진정한 서술어로 기능하는 것은 상태补语(보어)가 연결된 동사라고 추론할 수 있다.

그럼 (22가)의 목적어 앞에 위치한 '写'는 그 정체가 무엇일까를 고민해 봐야 한다. 어순이 중요한 문법적 기능을 하는 중국어에서 서술어 바로 뒤는 보통 목적어 자리이다. 상태补语(보어)가 그 자리를 차지하는 바람에 목적어 '汉字'는 서술어 앞으로 이동할 수밖에 없다. 서술어에 후행하던 목적어가 서술어 앞으로 이동하게 되면 문법적인 요소의 도움을 받아야 한다. (22가)의 '写'가 바로 그 문법적인 요소처럼 기능한다고 볼 수 있다. 즉, 의미적인 부분은 결여된 채 형식적인 기능만 한다는 것이다. 왜냐하면 실질적인 의미는 진짜 서술어가하기 때문이다. 이에 중국어 해석문법에서는 형식적인 기능만 하는 '写'를 'E$_2$'로 표시하기로 한다. 즉, '写' 뒤에 목적어가 위치하므로 타동사로 표시하되 자릿수까지 가지지는 못하는 불완전한 용언으로 보는 것이다. 이를 종합하면, (22가)는 'A$_{0-1-0}$E$_2$B$_{0-1-0}$E$_{22-7}$D(D$_{0-4-2}$E$_{31}$)'로 표시할 수 있다. 그리고 (22나)의 경우, '写'가 생략되어도 문장의 문법성에는 영향을 주지 않는다. (22다)처럼 목적어가 생략되면 형식서술어도 아예 실현되지 않는다.

중국어에서는 이와 같은 구문을 '동사 복사 구문'이라고 한다. 중국어 해석문법에서는 이와 같은 동사 복사 구문을 분석할 때, 목적어 앞에 나타난 형식적인 기능만 하는 동사에는 타동사성만 표시한다.

즉, 형식적인 기능만 하기 때문에 자릿수 정보를 주지 않는다.

3.2.4 기타 사항

서술어 중첩

앞에서 동사가 복사되는 경우를 다루었다면, 본 절에서는 서술어가 중첩되는 사례를 살펴보기로 한다. 한 문장에서 서술어가 2번 등장하면 복수의 사건으로 이해해야 하는데, 중국어 서술어의 중첩은 2개의 문장이나 복수의 사건으로 이해되지 않고, 동작의 양을 표시하는 것으로 이해한다. 중국어 해석문법에서는 이런 동사나 형용사가 중첩되는 경우를 모두 수량补语(보어)로 처리한다.

(23) 일음절 동사의 중첩 정보 표시 사례

　　가. 大家要笑一下。

　　　　⇒ $A_{0-4-0}E_{11-4}M_1N_1P_1$

　　나. 大家要笑一笑。

　　　　⇒ $A_{0-4-0}E_{11-4}M_1N_1P_1$

　　다. 大家要笑笑。

　　　　⇒ $A_{0-4-0}E_{11-4}M_1N_1P_1$

(23가)는 서술어 '笑' 뒤에 수량补语(보어) '一下'가 결합한 경우이다. '笑'가 '자동사, 1자리' 서술어이므로 'E_{11-4}'로 표시할 수 있다.

(23나)는 서술어 뒤에 '一下' 대신 '一笑'가 쓰였는데, 양사로 차용된 동사는 일반 양사와 같은 기능을 수행하여, '一笑'도 수량补语(보어)로 분석한다. (23다)는 동사가 중첩된 경우에 해당하는데 (23가)나 (23나)처럼 모두 수량补语(보어)로 표시한다.

(24) 이음절 동사의 중첩 정보 표시 사례

我考虑考虑这个问题。

$\Rightarrow A_{0\text{-}4\text{-}0}E_{22\text{-}4}B_{3<3>\text{-}1\text{-}0}N_1P_1$

(24)는 이음절 동사 '考虑'가 중첩된 경우이다. 중국어 해석문법에서는 동사의 중첩을 수량补语(보어)로 분석하며, 서술어 뒤에 '4번'을 추가로 표시한다.

(25) 형용사의 중첩[31) 정보 표시 사례

　가. 他轻轻地关上了门。

　　$\Rightarrow A_{0\text{-}4\text{-}0}D(E_{31\text{-}4})E_{22}B_{0\text{-}1\text{-}0}T_1S_1N_1P_1$

　나. 我买了鲜红鲜红的苹果。

　　$\Rightarrow A_{0\text{-}4\text{-}0}E_{22}B_{6\text{-}1\text{-}0}(E_{31\text{-}4})T_1S_1N_1P_1$

(25가)는 일음절 형용사 '轻'이 중첩된 후, '地'와 결합하여 부사절

---

31) 朱德熙(1982:27)는 형용사 중첩도 양의 관념이 포함되어 있다고 주장한다. 즉, 상태나 성질이 강조되는 것을 양의 관념으로 설명하고 있다.

이 된 경우이고, (25나)는 이음절 형용사 '鮮红'이 중첩된 후, '的'
와 결합하여 목적어 '苹果'를 수식하는 관형사절이 된 예이다. 이
때, 모두 서술어의 기본 정보를 표시한 후에 '-'을 사용하여 수량补
语(보어)를 표시하는 4번을 붙여 주면 된다.

자릿수를 줄이는 피동 조동사 '被'

서술어가 두 개 연달아 나올 때 서술어의 자릿수가 바뀌는 일이 일
어나기도 하는데, 피동 조동사 '被'가 그 기능을 한다.

(26) 피동 조동사 정보 표시 사례

　가. 张三推开了大门。

　　$\Rightarrow A_{0\text{-}2\text{-}0}E_{22}B_{0\text{-}1\text{-}0}T_1S_1N_1P_1$

　나. 大门被推开了。

　　$\Rightarrow A_{0\text{-}1\text{-}0}E_9E_{22}T_1S_1M_6N_1P_1$

(26가)에서 '推开'는 '타동사, 2자리' 서술어로서, 주어와 목적어를
필수적인 성분으로 요구한다. (26가)에서 '张三'이 주어이고, '大门'
이 목적어이다. (26나)에서도 '推开'가 서술어로 쓰였다. 2자리 서술
어로서 두 개의 필수성분을 요구하는데, (26나)에서는 문장에 주어
'大门'만 실현되어 있다. 그런데 (26나)의 주어 '大门'은 아무리 봐
도 행위의 주체로 여겨지지 않는다. (26가)에 그 해답이 있는데, '大
门'이 (26가)에서는 주어가 아닌 목적어로 쓰인다는 것이다. 즉, (26

가)에서 목적어이던 '大门'이 (26나)에서는 주어의 신분으로 등장한 것이다.

이런 현상은 능동문이 피동문으로 바뀔 때 일어난다. 즉, 능동문이 피동문으로 바뀌면 능동문의 주어는 없어지고 원래 목적어였던 성분이 피동문에서 주어가 된다. 그렇게 되면 피동문에서 목적어 자리가 비게 되는데, 이는 곧 서술어의 자릿수가 줄어들었다는 것을 의미한다. (26나)에서 그런 일을 벌이는 것이 바로 '被'이다. 중국어 해석문법에서는 피동 조동사 '被'를 자릿수를 줄이는 형식서술어로 분류하고 서술어 정보에서 9번으로 표시한다. 그리고 피동의 의미를 지니고 있기 때문에 양태의 'M_6'을 표시해야 한다. 이를 종합하면, (26나)는 '$A_{0-1-0}E_9E_{22}T_1S_1M_6N_1P_1$'로 분석된다.

3.3 그 외 문장성분 분석의 심화

3.2절까지 문장의 바탕을 제공하는 서술어의 다양한 문제들을 살펴보았다. 본 절에서는 서술어 이외의 문장성분에 대해 살펴보기로 한다. 특히 보어에 초점을 맞추어 논의하기로 한다.

보어

서술어가 필수적으로 요구하는 논항에는 주어와 목적어 외에 보어도 있는데, 여기서는 특히 중국어의 특수구문인 把자문과 被자문에 등장하는 보어의 양상을 검토하기로 한다.

'把'자문

중국어는 고립어이기 때문에 격표지와 같은 명사구의 문법적인 관계를 나타내는 형식이 부족하므로 어순을 변경하는 방법 등을 활용하는 경향이 짙다. 서술어 뒤에 위치한 목적어를 서술어의 앞으로 옮길 때 사용하는 것이 바로 전치사 '把'이며, 이때 만들어지는 것이 바로 '把'자문이다. 아래에서 '把'자문의 분석 방법에 대해 구체적으로 살펴보기로 한다.

(27) '把'자문 정보 표시 사례

    가. 张三关上了窗户。

        $\Rightarrow A_{0\text{-}2\text{-}0}E_{22}B_{0\text{-}1\text{-}0}T_1S_1N_1P_1$

    나. 张三把窗户关上了。

        $\Rightarrow A_{0\text{-}2\text{-}0}C_{0\text{-}1\text{-}3}E_{12}T_1S_1N_1P_1$

문장 (27가)의 서술어 '关上'은 '타동사, 2자리'이다. '关上'은 자신의 왼쪽에 주어 '张三'을, 오른쪽에 목적어 '窗户'를 두고 있다. 문제는, 이러한 목적어가 전치사를 취하여 (27나)에서처럼 주어와 서술어 사이에 올 수 있다는 것이다. 이때, 주어와 서술어 사이에 놓인 '把窗户'는 전치사구(전치사+명사)이며, 생략이 불가능한 필수성분이다. 그것은 위치상 목적어로 볼 수가 없으며, 그렇다고 해서 생략이 가능한 부사어도 아니다. 따라서 그것은 보어로 간주할 수밖에 없다. 그리고 목적어를 취하지 않는 서술어는 더 이상 타동사라 할 수 없다. 따라서 (27나)의 동사 '矣上'은 여기서 '자동사, 2자리' 서술어로 처리해야 한다. 결국, '矣上'이라는 동사는 경우에 따라 '타동사, 2자리'(27가) 혹은 '자동사, 2자리'(27나)로 쓰일 수 있는 것이다. 하나의 서술어가 자릿수를 유지한 채 자동사와 타동사의 모습을 번갈아 보이는 것을 중국어 문장에서는 어렵지 않게 만날 수 있다.32)

'被'자문

위에서, 능동문을 피동문으로 바꿀 때 피동 조동사에 대해 살펴 보았다. 여전히 능동문을 피동문으로 바꾸지만 피동 조동사의 용법이 아닌 전치사로서 기능하는 '被'자문을 중국어 해석문법에서 어떻게

---

32) 이와 달리, 피동화와 같은 기제로 (27가)에서 (27나)를 도출해 보려는 시도를 해 볼 수도 있다. 타동사문이 자동사문으로 바뀌었기 때문이다. 그러나 (27가)의 목적어(窗户)는 (27나)에서 주어 자리에 있지 않다. 이것은 피동화 과정에서 타동사문의 목적어가 자동사문의 주어로 탈바꿈하는 것과는 다른 모습이다. 동사의 형태에서도 타동사와 자동사의 모습이 같다. 물론 능격동사처럼 타동사와 자동사의 형태가 일치하는 경우도 있겠으나 여기에 등장한 동사 '矣上'은 능격동사로도 볼 수 없다. 타동사 구문의 목적어가 자동사 구문의 주어로 나타나지 않았기 때문이다. 따라서 (27가)에서 (27나)가 도출되었다고 볼 수 없으며, 위에서 분석한 것처럼, (27가)와 (27나)는 동사 '矣上'이 가지는 두 가지 문형에 의해 실현된 독립된 두 개의 문장으로 보아야 한다.

분석하는지 살펴보기로 한다.

(28) '被'자문 정보 표시 사례

　가. 张三推开了大门。　　(=26가)

　　　$\Rightarrow A_{0-2-0}E_{22}B_{0-1-0}T_1S_1N_1P_1$

　나. 大门被张三推开了。

　　　$\Rightarrow A_{0-2-0}C_{0-1-3}E_{12}T_1S_1N_1P_1$

　다. *大门推开了。

(28가)에서 서술어 '推开'는 '타동사, 2자리'로서 필수성분으로 주어와 목적어를 요구하며, 주어는 '张三'이고, 목적어는 '大门'이다. (28나)에서도 '推开'가 서술어로 쓰였다. 그것은 2자리 서술어로서, 2개의 필수성분을 요구하며 그에 해당하는 것이 '大门'과 '被张三'이다. (28가)에서 주어였던 '张三'은 (28나)에서 '被+张三'의 구성으로, (28가)에서 목적어였던 '大门'은 (28나)에서는 주어가 된다.

능동문이 피동문으로 바뀔 때 원래 목적어였던 성분이 피동문에서 주어가 되고, 능동문의 주어는 없어진다. 그런데 (28나)에서는 능동문일 때의 주어 '张三'이 전치사 '被'를 달고 문장에 실현되어 있다. 또한 (28다)에서처럼 '被张三'이 생략되면 비문이 된다. 이로부터 '被张三'은 문장의 필수성분으로서 보어임을 알 수 있다. 그리고 서술어 '推开' 역시 '타동사, 2자리'가 아닌 '자동사, 2자리'로 분석해야 한다.

정리하면, 능동문일 때의 주어가 없어지는 일반 피동문과 달리, (28 나)와 같은 '被'자문에서는 능동문일 때의 주어가 전치사 被와 결합한 채 보어로 실현되고 피동의 의미까지 나타낸다고 할 수 있다.

4장. 중국어 문장 분석의 응용

본 장에서는 앞에서 익힌 문장 분석 방법론을 실제 문장 분석에 적용하여 한 편의 텍스트가 가진 특징을 탐구할 수 있는 방법을 살펴보기로 한다.

먼저, 실제 텍스트를 선정하고 그것을 구성하는 문장들을 분석하여 문장 분석 말뭉치를 만든다. 그 다음 이러한 문장 분석 말뭉치로부터 문장마다의 복잡성과 다양성을 추출해 낸다. 마지막으로 이러한 정보를 활용하여 문장들이 연결되어 이루어지는 텍스트의 조직적 특성을 파악하기로 한다.

4.1 문장 분석 말뭉치 구축

본 절에서는 실제 텍스트를 선정하여 텍스트를 구성하고 있는 문장들을 통사적으로 분석해 볼 것이다.

(1) 선정된 텍스트

妈妈给我穿了最干净的衣服。坐着小镇的大巴车，又换乘了公交车。打开姑姑家大门的时候，从远处与我对视的是一条表情漫不经心却又目光坚定的小狗。

小东西被我抱在怀里带回了家。这段时间我大多都是自己在家度过的。妈妈在别人家田里做佣工，爸爸总是在挑战希望渺茫的事业，姐姐弟弟也分散在各个地方。

它叫梅丽。别看我们家小狗体型不大，但发育的却很好，长得又大又长，是一条哈巴狗。听说哈巴狗很神奇，我们家狗也是这样，它能够听懂我们说话。

而且它还很忠诚。和它一起养的被称为土狗的其他狗，只要一给饭眼神就变了，想要咬主人。但是梅丽不一样，即使把手放到梅丽的狗盆里，梅丽也只是耷拉着耳朵，摇着尾巴，一点都没有违抗主人的意思。

一到夏天，我们俩经常进行'赛跑比赛'。它脖子上绑着红色与蓝色相间的绳子，向箭一样冲到我的面前，展开双臂抱着我在土地里"摔跤"。在不咬疼我的同时，装作咬我手的样子，装的那叫一个好。

梅丽渐渐变得成熟，外出也更频繁了。我看它干呕的样子，替它担心，妈妈笑着说它好像要产崽了。生第一胎的时候，我陪了它一整晚。第二天清早，妈妈拿着热乎乎的汤泡着饭给梅丽吃。

真神奇，怎么从它的身体里生出六个胖乎乎的小家伙。小狗们肆意咬我手指的时候，梅丽向我投来了充满歉意的目光，然后开始舔我的手。我用袖子擦了擦它充满泪光的眼睛。

小崽子们被卖到市场的那一天，我们都哭的很厉害。姐姐和弟弟拽着妈妈的裤角，我抱着梅丽的脖子，用脸去蹭它的毛。梅丽被我抓住了，就这样生生的与小狗们分开了。

随着季节更替，回忆越攒越多。某个星期天早上，到院子里一看，在朝阳的地方躺着一只死去的鼹鼠，应该是梅丽从田里抓来的。它总是这么抓来老鼠、鼹鼠，但却不吃。就算是蛇，梅丽也赶走过。

又一年多天，梅丽生了第二胎。这次也生了一窝胖胖的小家伙。我们在棚子里给它建了一个不漏风的窝。有一天晚上，妈妈又说明天要把小狗们卖了，我再一次哭了。

第二天早上引发了骚乱。我去棚子里喂饭的时候，发现小狗们都不见了。这是昨天晚上被貛叼走了吗？不应该啊……我用双手抱着梅丽的脸问"梅丽，这是怎么回事？小狗们呢？"从那天开始，梅丽的腿坡了。

没过多久，我发现了小狗们。在地板与地之间的深处有动静，这就是灯下黑。妈妈费劲把小狗们都掏了出来，她说这应该是昨天晚上说要把小狗们卖掉，所以梅丽把它们藏起来了。我在惊讶的同时也有些许哀伤。

最终小狗们和我预计的一样被卖了，而梅丽也不见了。家里没有了小狗们，也没有了梅丽。第二天我才知道，坡了腿的梅丽被车撞死了。当它的尸体被叔叔带回来的时候，我泣不成声。从那以后，我将梅丽埋在了心底。

在今年，突然变冷的秋天，想起很久之前坐在厨灶边烤红薯的记忆。"梅丽，我们要一起长长久久的活下去，爱你。"梅丽舔着从袜子漏洞的地方挤出来的我的脚趾。

위의 글은 김의수(2023:301~303)에 실린 수필 「메리의 추억」을 중국어로 번역한 것이다.[33]

4.1.1 원시말뭉치 구축

---

33) 중국어 번역은 저자들이 아닌 다른 사람(국내 모 대학원 박사과정 한중 이중언어 화자)에 의해 이루어진 것이다.

본격적으로 문장 분석을 하기 전에 우선 원시말뭉치부터 만들어야 한다. 원시말뭉치란 문장을 다양한 차원에서 분석하기 위해 미리 마련하는 기본 말뭉치로서, 텍스트를 구성하는 문장마다 그것이 속한 단락 및 단락 내 순서 등을 표시하여 모아 놓은 것이다.34)

(2) 텍스트 (1)의 원시말뭉치

LDO10101妈妈给我穿了最干净的衣服。
LDOG10102坐着小镇的大巴车，又换乘了公交车。
LDOG10103打开姑姑家大门的时候，从远处与我对视的是一条表情漫不经心却又目光坚定的小狗。
LDOG10201小东西被我抱在怀里带回了家。
LDOG10202这段时间我大多都是自己在家度过的。
LDOG10203妈妈在别人家田里做佣工，爸爸总是在挑战希望渺茫的事业，姐姐弟弟也分散在各个地方。
LDOG10301它叫梅丽。
LDOG10302别看我们家小狗体型不大，但发育的却很好，长得又大又长，是一条哈巴狗。
LDOG10303听说哈巴狗很神奇，我们家狗也是这样，它能够听懂我们说话。
LDOG10401而且它还很忠诚。
LDOG10402和它一起养的被称为土狗的其他狗，只要一给饭眼神就变了，想要咬主人。
LDOG10403但是梅丽不一样，即使把手放到梅丽的狗盆里，梅丽也只是耷

---

34) 김의수(2023:303)에서 원시말뭉치에 대한 정의를 확인할 수 있다.

拉着耳朵，摇着尾巴，一点都没有违抗主人的意思。

LDOG10501一到夏天，我们俩经常进行'赛跑比赛'。

LDOG10502它脖子上绑着红色与蓝色相间的绳子，向箭一样冲到我的面前，展开双臂抱着我在土地里"摔跤"。

LDOG10503在不咬疼我的同时，装作咬我手的样子，装的那叫一个好。

LDOG10601梅丽渐渐变得成熟，外出也更频繁了。

LDOG10602我看它干呕的样子，替它担心，妈妈笑着说它好像要产崽了。

LDOG10603生第一胎的时候，我陪了它一整晚。

LDOG10604第二天清早，妈妈拿着热乎乎的汤泡着饭给梅丽吃。

LDOG10701真神奇，怎么从它的身体里生出六个胖乎乎的小家伙。

LDOG10702小狗们肆意咬我手指的时候，梅丽向我投来了充满歉意的目光，然后开始舔我的手。

LDOG10703我用袖子擦了擦它充满泪光的眼睛。

LDOG10801小崽子们被卖到市场的那一天，我们都哭地很厉害。

LDOG10802姐姐和弟弟拽着妈妈的裤角，我抱着梅丽的脖子，用脸去蹭它的毛。

LDOG10803梅丽被我抓住了，就这样生生的与小狗们分开了。

LDOG10901随着季节更替，回忆越攒越多。

LDOG10902某个星期天早上，到院子里一看，在朝阳的地方躺着一只死去的鼹鼠，应该是梅丽从田里抓来的。

LDOG10903它总是这么抓来老鼠、鼹鼠，但却不吃。

LDOG10904就算是蛇，梅丽也赶走过。

LDOG11001又一年冬天，梅丽生了第二胎。

LDOG11002这次也生了一窝胖胖的小家伙。

LDOG11003我们在棚子里给它建了一个不漏风的窝。

LDOG11004有一天晚上，妈妈又说明天要把小狗们卖了，我再一次哭了。

LDOG11101第二天早上引发了骚乱。

LDOG11102我去棚子里喂饭的时候，发现小狗们都不见了。

LDOG11103这是昨天晚上被獾叼走了吗？

LDOG11104不应该啊……

LDOG11105我用双手抱着梅丽的脸问"梅丽，这是怎么回事？

LDOG11106小狗们呢？"

LDOG11107从那天开始，梅丽的腿坡了。

LDOG11201没过多久，我发现了小狗们。

LDOG11202在地板与地之间的深处有动静，这就是灯下黑。

LDOG11203妈妈费劲把小狗们都掏了出来，她说这应该是昨天晚上说要把小狗们卖掉，所以梅丽把它们藏起来了。

LDOG11204我在惊讶的同时也有些许哀伤。

LDOG11301最终小狗们和我预计的一样被卖了，而梅丽也不见了。

LDOG11302家里没有了小狗们，也没有了梅丽。

LDOG11303第二天我才知道，坡了腿的梅丽被车撞死了。

LDOG11304当它的尸体被叔叔带回来的时候，我泣不成声。

LDOG11305从那以后，我将梅丽埋在了心底。

LDOG11401在今年，突然变冷的秋天，想起很久之前坐在厨灶边烤红薯的记忆。

LDOG11402"梅丽，我们要一起长长久久的活下去，爱你。"

LDOG11403梅丽舔着从袜子漏洞的地方挤出来的我的脚趾。

텍스트 (1)은 총 14개 단락, 52개 문장으로 이루어져 있다. (2)에서 각 문장마다 맨 앞에 영문자와 숫자가 표시되어 있는데, 이는 문장들을 구별해 주는 각 문장의 고유 번호에 해당한다. 가령, 첫 문장의 'LDOG10101'에서 'LDOG'는 텍스트 이름이다.[35] 영문자

---

35) 김의수(2023:304~307)에서 원시말뭉치 구축할 때 텍스트 이름으로 'DOG'를 사용하였다. 본 연구도 김의수(2023)의 'DOG'를 원용하면서, 번역자 'L'의 이름을 추가하여 'LDOG'라는 텍스트 이름을 지어 사용하기로 한다.

뒤에 나오는 숫자 배열 '10101'을 살펴보면, 첫 번째 '1'은 원시말뭉치임을 의미하고, '01'은 첫 번째 단락을 뜻하며, '01'은 첫 번째 문장을 가리킨다. 따라서 'LDOG10101'은 'LDOG'라는 텍스트의 원시말뭉치에서 첫 번째 단락의 첫 번째 문장임을 알 수 있다. 단락 순서와 단락 내 문장 순서를 표시하기 위해 숫자 두 자리씩 정해 놓았는데, 이는 텍스트 규모에 따라 조정할 수 있다.

4.1.2 문장 분석 말뭉치 구축

원시말뭉치가 구축되면 문장 분석을 시작한다. 첫 번째 단락의 첫 번째 문장을 예로 들어 문장 분석 과정을 보이면 다음과 같다.

(3) LDOG10101妈妈给我穿了最干净的衣服。

문장 (3)에서 서술어는 사동사 '给'이고, 그것은 '자동사, 2자리' 서술어로서, 필수성분으로 주어와 보어(절)을 요구한다. (3)에서 '妈妈'가 문장의 주어이고, 절 '我穿了最干净的衣服'가 보어가 되었다. 분석된 문장 성분들을 표시하면, 서술어 '给'는 'E_{12}'가 되고, 주어 '妈妈'는 'A_{0-1-0}'이 되며, 보어절 '我穿了最干净的衣服'는 절이 핵이므로 'C_{0-7-0}'으로 표시하고 옆에 괄호를 추가하고 괄호 안에 보어절의 정보를 풀어 주면 된다.

절 '我穿了最干净的衣服'에서 서술어 '穿'은 '타동사, 2자리'로서,

주어와 목적어를 요구한다. '我'가 주어(A_{0-4-0})이고, '最干净的衣服'는 목적어이다. 이 목적어는 관형사절 '最干净的'가 관형어로 쓰이고, 핵은 보통명사이며 전치사가 없으므로 'B_{6-1-0}'이다. 왼쪽에 관형사절이 왔기 때문에 옆에 괄호를 추가하고 괄호 안에 '最干净'의 정보 'DE_{31}'을 넣으면 된다. 따라서 목적어 '最干净的衣服'는 '$B_{6-1-0}(DE_{31})$'이 된다. 그리고 서술어 '穿'은 'E_{22}'이고, 양태성분 '了'는 '과거+완료'로 'T_1S_1'이다. 정리하면, 보어절 '我穿了最干净的衣服'는 '$C_{0-7-0}(A_{0-4-0}E_{22}B_{6-1-0}(DE_{31})T_1S_1)$'이 된다.

다시 모문으로 돌아가서 '妈妈给我穿了最干净的衣服。'의 명제성분을 표시하면 '$A_{0-1-0}E_{12}C(A_{0-4-0}E_{22}B_{6-1-0}(DE_{31})T_1S_1)$'이 되고, 모문의 서술어가 사동사 '给'이기 때문에 양태 정보 'M_5'를 표시하고, 평서형 종결의 N_1, 마침표 P_1을 추가한다. 이상의 정보를 종합하면 다음과 같다.

(4) 첫 번째 단락, 첫 번째 문장의 분석 결과
　　가. 원시말뭉치
　　LDOG10101妈妈给我穿了最干净的衣服。
　　나. 문장 분석 말뭉치
　　LDOG20101$A_{0-1-0}E_{12}C(A_{0-4-0}E_{22}B_{6-1-0}(DE_{31})T_1S_1)M_5N_1P_1$

문장 분석 말뭉치에서는, 원시말뭉치의 고유 번호를 그대로 쓰되, 구별을 위해 맨 앞의 숫자 '1'을 '2'로 바꾸어 준다.

위와 같은 방법으로 분석된 문장 분석 말뭉치를 아래와 같이 제시한다.

(5) 텍스트 (1)의 문장 분석 말뭉치

LDOG20101$A_{0-1-0}E_{12}C_{0-7-0}(A_{0-4-0}E_{22}B_{6-1-0}(DE_{31})T_1S_1)M_5N_1P_1$

LDOG20102$D(E_{22}B_{4<5>3-1-0}(E_{31})T_{12}S_1)DE_{22}B_{3-1-0}T_1S_1N_1P_1$

LDOG20103$D_{6-1-0}(E_{22}B_{3<3>-1-0})D_{0-1-2}A_{5-3-0}(C_{0-4-2}E_{12})E_7E_{431<3<3>6-1-0>}(D(A_{0-1-0}E_{31})DDA_{0-1-0}E_{31})N_1P_1$

LDOG20201$A_{0-1-0}D_{0-4-4}D(E_{22-5})E_{12}C(E_{22}B_{0-1-0}T_1S_1)N_1P_1$

LDOG20202$D_{3<3>-1-0}A_{0-4-0}DDE_7E_{431<5-3-0>}(A_{0-4-0}D_{0-1-2}E_{22})N_1P_1$

LDOG20203$D(A_{0-1-0}D_{3<3>-1-2}E_{22}B_{0-1-0})D(ADDE_{22}B_{6-1-0}(A_{0-1-0}E_{31}))A_{3-1-0}D$
$E_{11-5}N_1P_1$

LDOG20301$A_{0-5-0}E_{22}B_{0-2-0}N_1P_1$

LLDOG20302$D(D(DX_{3-1-0}A_{0-1-0}DE_{31}M_4)D(DA_{5-3-0}(E_{11})DDE_{31})E_{11-7}D(DD$
$(E_{31})DE_{31}))\ E_7E_{431<3<3>-1-0>}N_1P_1$

LDOG20303 $D(D(E_{22}B_{0-7-0}(A_{0-1-0}DE_{31}))A_{3-1-0}DE_7E_{431<0-7-0>}(E_{31}))A_{0-5-0}E_6$
$E_{22}B_{0-7-0}(A_{0-4-0}E_{11})M_2N_1P_1$

LDOG20401$DA_{0-5-0}DDE_{31}N_1P_1$

LDOG20402$A_{663-1-0}(D_{0-5-2}DE_{22})(E_9E_{23}C(E_{22}B_{5-1-0}(E_{31})))D(D(DDE_{22}B_{0-1-0})A_{0-1-0}DE_{11}T_2S_4)\ E_6E_{22}B_{0-1-0}S_3N_1P_1$

LDOG20403$D(DA_{0-2-0}DE_{12}M_4)\ D(DC_{0-1-3}E_{22}B_{3<3><4>-1-0})A_{0-2-0}D(DDE_{22}B_{0-1-0}T_{12}S_1)D(E_{22}B_{0-1-0}T_{12}S_2)DDE_{22}B_{6-1-0}(E_{22}B_{0-1-0})M_4N_1P_1$

LDOG20501$D(DA_{0-1-0}E_{11})A_{3-6-0}DE_{422<3-1-0>}E_8N_1P_{11}$

LDOG20502$A_{0-5-0}D(D_{3-1-0}E_{22}B_{6-1-0}(A_{0-1-0}C_{0-1-2}E_{12})T_{12}S_1)D(D(E_{22}B_{0-1-0})E_2$

$_2B_{4-1-0})D(D(E_{22}B_{1-1-0})E_{22}B_{0-4-0}T_{12}S_1)D_{3-1-2}E_{11}N_1P_1$

LDOG20503$D(D_{6-1-2}(DE_{22}B_{0-5-0}M_4))A_{6-1-0}(E_{22}B_{0-7-0}(E_{22}B_{3-1-0}))E_{22-7}D(DE_{22}B_{3<3>-1-0})N_1P_1$

LDOG20601$D(A_{0-2-0}DE_{12}C(E_{31}))A_{0-7-0}(E_{11})DDE_{31}T_2S_4N_1P_1$

LDOG20602$D(A_{0-4-0}D(E_{22}B_{6-1-0}(A_{0-5-0}DE_{22}))D_{0-5-2}E_{22})A_{0-1-0}D(E_{11}T_{12}S_2)E_{22}B_{0-7-0}(A_{0-5-0}DE_6E_{22}B_{0-1-0}T_2S_{34})N_1P_1$

LDOG20603$D_{6-1-0}(B_{3-1-0}E_{22})A_{0-4-0}B_{0-5-0}E_{22-4}T_1S_1N_1P_1$

LDOG20604$D_{3<3>-1-0}A_{0-1-0}D(D(E_{22}B_{6-1-0}(E_{31})T_{12}S_1)E_{22}B_{0-1-0}T_{12}S_1)E_{12}C(A_{0-5-0}E_{22})M_5N_1P_1$

LDOG20701$D(DE_{31})DD_{3<4>-1-2}E_{22}B_{3<3>6-1-0}(E_{31})N_1P_1$

LDOG20702$D_{6-1-0}(A_{0-1-0}DE_{22}B_{3-1-0})A_{0-2-0}D(D_{0-4-2}E_{22}B_{6-1-0}(E_{22}B_{0-1-0})T_1S_1)DE_{22}B_{0-7-0}(E_{22}B_{4-1-0})N_1P_1$

LDOG20703$A_{0-4-0}D_{0-1-2}D(E_{22}T_1S_1)E_{22}B_{36-1-0}(E_{22}B_{0-1-0})N_1P_1$

LDOG20801$D_{3<3<6>>-1-0}(A_{5-1-0}(E_{31})E_9E_{22-5}M_6)A_{0-4-0}DE_{11-7}D(DE_{31})N_1P_1$

LDOG20802$D(A_{32-1-0}E_{22}B_{4-1-0}T_{12}S_1)A_{0-4-0}D(E_{22}B_{4-1-0}T_{12}S_1)D_{0-1-2}E_2E_{22}B_{4-1-0}N_1P_1$

LDOG20803 $D(A_{0-2-0}C_{0-4-4}E_{12}T_1S_1)\ DD(E_{31})\ DC_{0-1-2}E_{12}T_2S_4N_1P_1$

LDOG20901$D_{0-7-2}(A_{0-1-0}E_{11})\ \ A_{0-1-0}D(DE_{22})DE_{31}N_1P_1$

LDOG20902$D(D_{3<3>3-1-0}D(D_{3-1-2}DE_{22})D_{6-1-2}(E_{11})E_{22}B_{3<3>6-1-0}(E_{11})T_{12}S_1)E_6E_7E_{431<5-3-0>}(A_{0-2-0}D_{3-1-2}E_{22-1})N_1P_1$

LDOG20903$D(ADD(E_{31})E_{22-1}B_{3-1-0})DDDE_{22}M_4N_1P_1$

LDOG20904$D(DE_7E_{431<0-1-0>})A_{0-2-0}DE_{22}T_1M_3N_1P_1$

LDOG21001$DD_{3<3>-1-0}A_{0-2-0}E_{22}B_{3-3-0}T_1S_1N_1P_1$

LDOG21002$D_{3-3-0}DE_{22}B_{3<3>6-1-0}(E_{31-4})T_1S_1N_1P_1$

LDOG21003$A_{0-4-0}D_{3-1-2}D_{0-5-2}E_{22}B_{3<3>6-1-0}(DE_{11}M_4)T_1S_1N_1P_1$

LDOG21004$D_{3<3>-1-0}D(A_{0-1-0}DE_{22}B_{0-7-0}(D_{0-1-0}E_6C_{5-1-3}E_{12}T_2S_{34}))A_{0-5-0}DD_{3-}$

$_{3-0}E_{11}T_2S_4N_1P_1$

LDOG21101$D_{3-1-0}E_{22}B_{0-7-0}(E_{11})T_1S_1N_1P_1$

LDOG21102$D_{6-1-0}(A_{0-4-0}D(E_{22}B_{3-1-0})E_{22}B_{0-1-0})E_{22}B_{0-7-0}(A_{5-1-0}(E_{31})DDE_{11}M_4)T_2S_4N_1P_1$

LDOG21103$A_{0-5-0}E_7E_{431<0-7-0>}(D_{3-1-0}C_{0-1-4}E_{12}T_2S_4)N_2P_2$

LDOG21104$DE_{22}N_1P_1$

LDOG21105$A_{0-4-0}D(D_{1-1-2}E_{22}B_{4-1-0}T_{12}S_1)E_{12}C_{0-7-0}(Q_{10}J_{0-2-0}A_{0-5-0}E_7E_{431<23-1-0>}N_2P_2)$

LDOG21106$Q_{01}A_{5-1-0}(E_{31})N_2P_2$

LDOG21107$D(D_{3-1-2}E_{11})A_{4-1-0}E_{11}T_2S_4N_1P_1$

LDOG21201$D(DE_{22}B_{0-7-0}(DE_{31})T_1S_1M_4)A_{0-4-0}E_{22}B_{5-1-0}(E_{31})T_1S_1N_1P_1$

LDOG21202$D(D_{5<4>-1-2}E_{22}B_{0-1-0})A_{0-5-0}DE_7E_{431<0-1-0>}N_1P_1$

LDOG21203$D(A_{0-1-0}D(E_{11})C_{5-1-3}(E_{31})DE_{12-11}T_1S)$ $A_{0-4-0}E_{22}B_{0-7-0}(D(A_{0-5-0}E_6E_7E_{431<0-7-0>}(D_{3-1-0}E_{22}B_{0-7-0}(E_6C_{5-1-3}(E_{31})E_{12}S_3)M_2))DA_{0-2-0}C_{0-5-3}E_{12-11}T_2S_4)N_1P_1$

LDOG21204$A_{0-4-0}D_{6-1-2}(E_{31})DE_{22}B_{5-7-0}(E_{31})(E_{31})N_1P_1$

LDOG21301$D_{0-1-0}D(A_{5-1-0}(E_{31})D(C_{5-3-2}(A_{0-4-0}E_{22})E_{12})E_9E_{22}T_1S_1)DA_{0-2-0}DDE_{11}T_2S_4M_4N_1P_1$

LDOG21302$D_{3-1-0}D(E_{22}B_{5-1-0}(E_{31})T_1S_1M_4)DE_{22}B_{0-2-0}T_1S_1M_4N_1P_1$

LDOG21303$D_{3-1-0}A_{0-4-0}DE_{12}B_{0-7-0}(A_{6-2-0}(E_{22}B_{0-1-0}T_1S_1)C_{0-1-4}E_{12}T_2S_4)N_1P_1$

LDOG21304$D_{6-1-2}(A_{4-1-0}C_{0-1-4}E_{12-11}M_6)A_{0-4-0}E_{31}N_1P_1$

LDOG21305$D_{3-1-2}A_{0-4-0}C_{0-2-2}E_{12-5}T_1S_1N_1P_1$

LDOG21401$D_{0-1-2}D_{6-1-0}(DE_{12}C_{0-7-0}(E_{31}))E_{22-1}B_{6-1-0}(D_{5-1-0}(DE_{31})D(E_{11-5})E_{22}B_{0-1-0})N_1P_1$

LDOG21402$Q_{11}J_{0-2-0}D(A_{0-4-0}E_6DD(E_{31-4})E_{11-11}S_2)E_{22}B_{0-4-0}N_1P_1$

$LDOG21403A_{0-2-0}E_{22}B_{64-1-0}(D_{4<3>-1-2}E_{22-11})T_{12}S_2N_1P_1$

52개 문장의 분석이 완료되었으므로, 다음 절에서는 문장 분석 결과를 어떻게 활용할 수 있는지 살펴보기로 한다.

4.2 문장의 복잡성과 다양성 측정

4.2.1 문장의 복잡성과 다양성 측정 기제

텍스트 (1)의 문장 분석 말뭉치로부터 통사적 복잡성과 다양성을 측정해 내는 기제는 다음과 같다.

(6) 명제 차원의 통사적 다양성과 복잡성 측정 기제(김의수 2023:362)

    [AE] 유형

01 AE

02 AEE

03 ADE

04 ADEE, ADDE

05 ADDEE

    [ACE] 유형   [ABE]유형

06 ACE   06 ABE

07 ACEE   07 ABEE

08 ACDE   08 ABDE

09 ACDEE, ACDDE   09 ABDEE, ABDDE

10 ACDDEE   10 ABDDEE

[ACCE] 유형   [ABCE] 유형

11 ACCE   11 ABCE

12 ACCEE   12 ABCEE

13 ACCDE   13 ABCDE

14 ACCDEE, ACCDDE   14 ABCDEE, ABCDDE

15 ACCDDEE   15 ABCDDEE

[ACCCE] 유형   [ABCCE] 유형

16 ACCCE   16 ABCCE

17 ACCCEE   17 ABCCEE

18 ACCCDE   18 ABCCDE

19 ACCCDEE, ACCCDDE   19 ABCCDEE, ABCCDDE

20 ACCCDDEE   20 ABCCDDEE

통사적 복잡성과 다양성은, 문장성분 유형의 개수와 종류에 따라
결정된다. 문장성분 유형의 개수가 많아질수록 문장의 통사적 복잡
성은 올라가고, 문장성분 유형의 종류가 많아질수록 문장의 통사적
다양성은 증가한다. 이를 체계적으로 공식화한 것이 (6)이다. (6)은

명제성분을 토대로 하여 문장의 통사적 복잡성과 다양성을 측정할 수 있게 해 준다. 다음 절에서는 그 실례를 살펴보기로 한다.

4.2.2 문장의 복잡성과 다양성 측정의 실제

문장의 통사적 복잡성과 다양성 기제 (6)이 어떻게 작동하는지 살펴봐야 하는데, 앞에서 분석한 첫 번째 단락, 첫 번째 문장의 문장 분석 말뭉치를 샘플로 사용하여 측정해 보기로 한다.

(7) 텍스트 (1)의 첫 번째 단락, 첫 번째 문장 (=4)

　　가. 원시말뭉치

　　LDOG10101妈妈给我穿了最干净的衣服。

　　나. 문장 분석 말뭉치

　　LDOG20101$A_{0-1-0}E_{12}C_{0-7-0}(A_{0-4-0}E_{22}B_{6-1-0}(DE_{31})T_1S_1)M_5N_1P_1$

(8) 문장의 통사적 복잡성과 다양성 측정 과정

　　가. 문장전체: $A_{0-1-0}E_{12}C_{0-7-0}(A_{0-4-0}E_{22}B_{6-1-0}(DE_{31})T_1S_1)M_5N_1P_1$

　　나. 모문: $A_{0-1-0}E_{12}C_{0-7-0}M_5N_1P_1 \Rightarrow ACE_{12} \Rightarrow ACE \Rightarrow [ACE]$

　　　-다양성: $ACE \Rightarrow [ACE]$

　　　-복잡성: 6

　　다. 내포문(1차): $A_{0-4-0}B_{6-1-0}E_{22}T_1S_1 \Rightarrow ABE_{22} \Rightarrow ABE \Rightarrow [ABE]$

　　　-다양성: $ABE \Rightarrow [ABE]$

　　　-복잡성: 6

라. 내포문(2차): $DE_{31} \Rightarrow ADE \Rightarrow [AE]$

　-다양성: $ADE \Rightarrow [AE]$

　-복잡성: 3

마. 전체문장:

　-다양성: {ADE}, {ACE}, {ABE} / [AE], [ACE], [ABE]

　-복잡성: 15

4.3 텍스트를 조직하는 문장의 연결 탐구

4.3.1 텍스트를 구성하는 문장의 다양성 분포

본 절에서는 문장이 가진 다양성과 복잡성을 바탕으로 문장이 텍스트를 어떻게 조직하고 있는지를 탐구한다. 문장 분석으로 시작하여 텍스트 분석으로 나아가는 것이다.

분석의 대상이 되고 있는 텍스트 (1)은 총 14개 단락, 52개 문장이다. 52개 문장은 모문 52개와 내포문 129개로 이루어져 있다. 다시 말하면, 텍스트 (1)은 14개 단락, 52개 문장, 181개 절(모문 52개, 내포문 129개)로 이루어져 있다. 하나의 문장이 모문 하나와 평균적으로 2.5개의 내포문으로 구성되어 있다고 볼 수 있다.

제일 처음 살펴볼 것은, 텍스트의 조직화에 참여하는 문형들의 기여도이다. 이를 위해 텍스트 (1)을 구성하는 모문 52개와 내포문 129개, 그 둘을 합한 181개의 절을 순차적으로 관찰할 것이다. 이를 통해 텍스트의 횡적, 종적 조직화의 특성을 추출할 수 있다.

모문으로 등장하는 절의 거시 문형의 순위를 매기면 다음과 같다.

(9) 텍스트 (1)의 모문(52개)에 나타난 거시 문형 비율
    가. [ABE] 27개 (51.9%)
        ABDDE(×15),   ABDE(×6),   ABDDEE(×3),   ABE(×2),
        ABDEE(×1)
    나. [AE] 18개 (34.6%)
        ADDE(×8),   ADE(×4),   ADDEE(×3),   AE(×1),   AEE(×1),
        ADEE(×1)
    다. [ACE] 7개 (13.5%)
        ACDDE(×3), ACDE(×3), ACE(×1)

총 3개의 거시 문형과 14개의 미시 문형이 등장한다. 최고 빈도의 거시 문형은 [ABE]로서, 그 하위 미시 문형은 5개 타입, 27개 토큰이다. 그 다음 빈도를 보이는 거시 문형은 [AE]이며, 해당 미시 문형은 6개 타입, 18개 토큰이다. 이상의 두 가지 문형이 점유하는 비율은 86.5%에 달한다. 52개 모문 중에서 무려 45개 절이 여기에 해당하는 것이다. 마지막 거시 문형은 [ACE]로서 3개 타입, 7개

토큰의 미시 문형을 거느린다.

이어서, 미시 문형의 순위를 확인해 보기로 한다.

(10) 텍스트 (1)의 모문(52개)에 나타난 미시 문형 비율

   1. ABDDE(×15)   28.8%

   2. ADDE(×8)   15.4%

   3. ABDE(×6)   11.5%

   4. <u>ADE(×4)</u>   <u>7.7%</u>   <u>63.4%</u>

   5. ADDEE(×3)   5.8%

   6. ABDDEE(×3)   5.8%

   7. ACDE(×3)   5.8%

   8. ACDDE(×3)   5.8%

   9. <u>ABE(×2)</u>   <u>3.8%</u>   <u>90.5%</u>

 10. AE(×1)   1.9%

 11. AEE(×1)   1.9%

 12. ADEE(×1)   1.9%

 13. ABDEE(×1)   1.9%

 14. ACE(×1)   1.9%

모두 14개의 미시 문형이 모문으로서 선을 보였고, 그중 가장 빈도가 높은 것은 [ABE] 유형에 속하는 ABDDE이다.

모문으로 등장하는 거시 문형과 미시 문형의 비율을 살펴보는 것은 텍스트 (1)을 조직하는 문장들의 횡적 연결에서 어떤 문형이 가장 많은 기여를 했는지 알아보는 것이다. 위에서 제시된 비율에서 가장 비율이 높다는 것은 모문의 횡적 연결에서 가장 열심히 일을 했다는 것을 의미한다. 거시 문형에서는 [ABE] 유형이, 미시 문형에서는 ABDDE 유형이 모문의 횡적 연결에서 가장 열심히 일을 했으며, 이것이 텍스트 (1)의 특징이 된다. 이를 정리하면, 텍스트 (1)은 거시 문형 [ABE]와 미시 문형 ABDDE가 텍스트의 횡적 조직화에서 가장 높은 비중을 차지한다고 말할 수 있다.

이제 내포문을 살펴보기로 한다.

(11) 텍스트 (1)의 내포문(129개)에 나타난 거시 문형 비율
   가. [ABE] 57개 (44.2%)
       ABE(×27), ABDE(×20), ABDDE(×9), ABDEE(×1)
   나. [AE] 56개 (43.4%)
       AE(×33), ADE(×9), ADDE(×6), AEE(×3), ADEE(×3), ADDEE(×2)
   다. [ACE] 15개 (11.6%)
       ACE(×6), ACDE(×3), ACDDE(×3), ACEE(×2), ACDEE(×1)
   라. [ABCE] 1개 (0.8%)
       ABCDE(×1)

모문에서는 3개의 거시 문형이 등장했는데 내포문에서는 [ABCE] 유형이 추가되면서 총 4개의 거시 문형이 등장한다. 유형 및 순위가 모문과 같지만 비율에서 차이를 보인다. 거시 문형 [ABE]의 비율이 모문에서는 51.9%였는데 내포문에서는 44.2%로 줄어들고, 두 번째 순위인 [AE]의 비율이 모문에서는 34.6%였지만 내포문에서는 43.4%로 비중이 대폭 늘어난 것을 확인할 수 있다. 그것을 이루는 미시 문형 중에서 AE는 33번 등장한다. 그리고 거시 문형 [ACE]도 내포문에서의 비중이 모문에 비해 많이 증가했다.

거시 문형을 이루는 미시 문형의 종류에도 차이가 있다. 모문에는 있는데 내포문에는 없는 것으로 [ABDE] 유형의 ABDDEE가 유일하지만, 모문에는 없는데 내포문에 있는 것으로는 [ACE] 유형의 ACEE와 ACDEE, [ABCE] 유형의 ABCDE가 있다. 상대적으로 더 복잡한 문형이 내포문에서 발견된다는 점이 흥미롭다.

(12) 텍스트 (1)의 내포문(129개)에 나타난 미시 문형 비율

1.	AE(×33)	25.6%	
2.	ABE(×27)	20.9%	
3.	ABDE(×20)	15.5%	62%
4.	ADE(×9)	7.0%	
5.	ABDDE(×9)	7.0%	
6.	ADDE(×6)	4.7%	

7. ACE(×6)   4.7%

8. AEE(×3)   2.3%

9. ADEE(×3)   2.3%

10. ACDE(×3)   2.3%

11. <u>ACDDE(×3)   2.3%   94.4%</u>

12. ADDEE(×2)   1.6%

13. ACEE(×2)   1.6%

14. ABDEE(×1)   0.8%

15. ACDEE(×1)   0.8%

16. ABCDE(×1)   0.8%

앞서 언급한 것처럼 AE 유형이 최고의 순위에 올랐다. 모문에서 10위였던 것과는 좋은 대조를 이룬다. 모문에서 가장 비율이 높았던 ABDDE는 내포문에서 5위에 그친다.

텍스트의 조직화에서 모문이 횡적인 문장 연결을 담당한다면, 내포문은 종적인 문장 연결을 맡는다. 모문이 텍스트의 폭을 수평으로 넓힌다며 내포문은 텍스트이 높이를 수직으로 키운다. 내포문으로 등장한 문형 가운데 가장 비율이 높다는 것은 내포문의 종적 연결에서 가장 열심히 일을 했다는 뜻이다. 거시 문형에서는 [ABE] 유형이, 미시 문형에서는 AE 유형이 내포문의 종적 연결에서 가장 열심히 일을 했다. 이러한 양상은 모문과 비교할 때 거시 문형에서는 같고, 미시 문형에서는 다르다.

모문 52개와 내포문 129개에서 각각 관찰되는 문형의 비율을 살펴보았는데, 이 둘을 합친 절 전체에서 관찰되는 문형의 비율도 확인해 볼 필요가 있다.

(13) 텍스트 (1)의 전체 절(181개)에 나타난 거시 문형 비율

　가. [ABE] 84개(27+57) (46.4%)

　　　ABE(×29[2+27]), ABDE(×26[6+20]), ABDDE(×24[15+9]), ABDEE(×2[1+1])

　나. [AE] 74개(18+56) (43.4%)

　　　AE(×34[1+33]), ADDE(×14[8+6]), ADE(×13[4+9]), ADDEE(×5[3+2]), AEE(×4[1+3]), ADEE(×4[1+3])

　다. [ACE] 22개(7+15) (12.2%)

　　　ACE(×7[1+6]), ACDE(×6[3+3]), ACDDE(×6[3+3]), ACEE(×2[0+2]), ACDEE(×1[0+1])

　라. [ABCE] 1개 (0.5%)

　　　ABCDE(×1[1+0])

미시 문형의 오른쪽에 딸린 숫자 정보, 예컨대 ABE(×29[2+27])에서 [2+27]의 왼쪽 '2'는 모문의 수치를, 오른쪽의 '27'은 내포문의 수치를 가리킨다.

(14) 텍스트 (1)의 전체 절(181개)에 나타난 미시 문형 비율

　1. AE(×34)　　　　　18.8%

2. ABE(×29)   16.0%

3. ABDE(×26)   14.4%

4. <u>ABDDE(×24)</u>   <u>13.3%   62.5%</u>

5. ADDE(×14)   7.7%

6. ADE(×13)   7.2%

7. ACE(×7)   3.9%

8. ACDE(×6)   3.3%

9. ACDDE(×6)   3.3%

10. ADDEE(×5)   2.8%

11. AEE(×4)   2.2%

12. <u>ADEE(×4)</u>   <u>2.2%   90.5%</u>

13. ABDDEE(×3)   1.7%

14. ABDEE(×2)   1.1%

15. ACEE(×2)   1.1%

16. ACDEE(×1)   0.6%

17. ABCDE(×1)   0.6%

거시 문형에서는 [ABE] 유형이, 미시 문형에서는 AE 유형이 가장 높은 비율을 보인다. 이는 모문과 내포문을 통틀어 가장 높은 비중을 차지하는 문형을 꼽은 것이다. 텍스트 (1)을 조직하는 문장의 모든 연결에서 가장 높은 기여를 하는 것은 거시 문형 [ABE]와 미시 문형 AE라고 할 수 있다.

4.3.1절을 정리하면, 텍스트 (1)은 텍스트의 횡적 조직화에서는 거시 문형 [ABE]와 미시 문형 ABDDE가 가장 높은 비중을 차지하고, 텍스트의 종적 조직화에서는 거시 문형에서는 [ABE]가, 미시 문형에서는 AE가 높은 비중을 차지하며, 텍스트의 조직화 전반에서는 거시 문형 [ABE]와 미시 문형 AE라고 할 수 있다.

4.3.2 텍스트를 구성하는 문장의 복잡성 흐름

본 절에서는 텍스트 (1)을 구성하는 문장들의 복잡성 흐름을 살펴보기로 한다. 문장은 기본적으로 모문의 복잡성을 가지며, 내포문을 동반할 경우 그 위에 내포문의 복잡성 값이 추가되어, 한 문장 전체의 복잡성 값이 얻어진다. 그렇게 얻어진 52개 문장의 복잡성 값이 보이는 흐름을 확인하고, 이와 더불어 문장을 단락으로 묶어서 단락별 문장 평균의 복잡성 값의 흐름도 살펴보기로 한다.

52개에 달하는 문장 하나하나의 복잡성 흐름은 그 자체로 기본적인 정보에 해당하므로 의미가 있고, 그것을 단락별로 평균을 내어 살펴보는 것은 단락 간 비교라는 점에서 또 다른 의미를 지닐 수 있을 것이다.

(15) 문장 52개 및 단락 14개의 복잡성 흐름

		(52)	(129)	(181)	(평균)	(평균)	(합계)
		모문	내포문	모+내	모문	내포문	모+내
1	LDOG20101	6	9	15			
2	LDOG20102	9	7	16			
3	LDOG20103	5	17	22	6.7	11.0	17.7
4	LDOG20201	9	12	21			
5	LDOG20202	5	8	13			
6	LDOG20203	4	18	22	6.0	12.7	18.7
7	LDOG20301	6	0	6			
8	LDOG20302	3	19	22			
9	LDOG20303	10	15	25	6.3	11.3	17.6
10	LDOG20401	4	0	4			
11	LDOG20402	9	36	45			
12	LDOG20403	9	43	52	7.3	26.3	33.6
13	LDOG20501	10	3	13			
14	LDOG20502	4	42	46			
15	LDOG20503	8	28	36	7.3	24.3	31.6
16	LDOG20601	4	10	14			
17	LDOG20602	9	33	42			
18	LDOG20603	8	6	14			
19	LDOG20604	9	21	30	7.5	17.5	25.0
20	LDOG20701	9	4	13			
21	LDOG20702	9	28	37			
22	LDOG20703	9	12	21	9.0	14.7	23.7

23	LDOG20801	4	6	10			
24	LDOG20802	10	12	22			
25	LDOG20803	9	7	16	7.7	8.3	16.0
26	LDOG20901	4	9	13			
27	LDOG20902	4	28	32			
28	LDOG20903	9	10	19			
29	LDOG20904	9	4	13	6.5	12.8	19.3
30	LDOG21001	9	0	9			
31	LDOG21002	9	1	10			
32	LDOG21003	9	3	12			
33	LDOG21004	4	17	21	7.8	5.2	13.0
34	LDOG21101	8	1	9			
35	LDOG21102	8	19	27			
36	LDOG21103	2	8	10			
37	LDOG21104	3	0	3			
38	LDOG21105	8	10	18			
39	LDOG21106	1	0	1			
40	LDOG21107	3	3	6	4.7	5.9	10.6
41	LDOG21201	8	11	19			
42	LDOG21202	5	8	13			
43	LDOG21203	8	38	46			
44	LDOG21204	9	3	12	7.5	15.0	22.5
45	LDOG21301	4	17	21			
46	LDOG21302	9	7	16			
47	LDOG21303	9	12	21			
48	LDOG21304	3	6	9			

49	LDOG21305	8	0	8	6.6	8.4	15.0
50	LDOG21401	9	22	31			
51	LDOG21402	8	6	14			
52	LDOG21403	6	8	14	7.6	12.0	19.6

위의 (15)는 총 52개 문장에 순번을 매기고, 문장 하나하나마다 문장 분석 말뭉치 번호를 적어 주었다. 그 옆에는 모문의 복잡성 점수와 내포문의 복잡성 점수, 이 둘을 합한 점수를 기재하였다. 내포문이 없는 경우에는 0으로 적었다. 단락이 끝날 때마다 단락을 구성하는 모문과 내포문의 평균 및 합계를 적었다. 이를 바탕으로, 52개 문장의 복잡성 흐름과 14개 단락의 복잡성 흐름을 확인하기로 한다.

먼저 52개 문장의 복잡성 흐름이다.

(16) 텍스트 (1)을 구성하는 52개 문장의 복잡성 흐름

가. 꺾은선 그래프

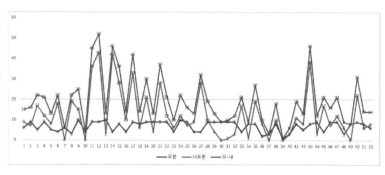

나. 막대그래프

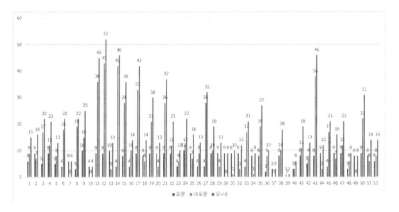

(16가)의 꺾은선 그래프를 보면, 가장 위에 있는 선이 문장 전체의 복잡성 흐름이고, 그 아래 선이 내포문의 복잡성 흐름이며, 맨 아래 바닥에 가깝게 있는 선이 모문의 복잡성 흐름이다. 이를 통해, 문장 전체의 흐름을 내포문이 주도하고 있음을 볼 수 있다.

(16나)의 막대그래프는 3개의 막대를 통해 문장 전체와 내포문, 모문 순으로 한 문장이 가진 세 가지 모습을 대조하며 전체적인 흐름을 볼 수 있게 해 준다.

다음은 단락별 문장의 복잡성 흐름이다

(17) 텍스트 (1)을 구성하는 14개 단락의 복잡성 흐름(단락 내 문장 평균)

가. 꺾은선 그래프

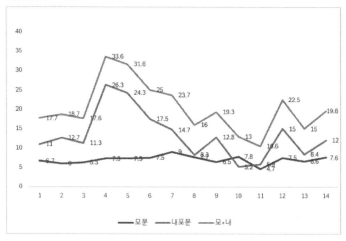

나. 막대그래프

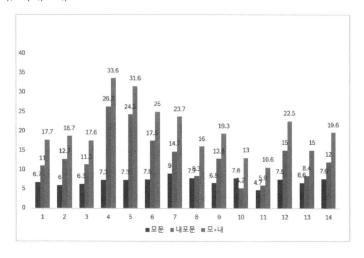

여기서도 꺾은선 그래프의 맨 위의 선이 문장 전체의 복잡성 흐름

이고, 그 아래 바짝 붙어 비슷한 모습을 보이는 선이 내포문의 복잡성 흐름이며, 맨 아래 바닥 가까이에 붙어 흐르는 것이 모문의 복잡성 선이다. 꺾은선 그래프와 막대그래프를 번갈아 보며 텍스트의 전체의 흐름을 살펴볼 수 있다. 단락의 복잡성 흐름 역시 문장의 복잡성 흐름과 큰 차이가 없음을 확인할 수 있다.

참고문헌

고창수(2012), "한국어 후치사와 중국어 개사의 단어적 성격에 대하여", 「국어교육학연구」 45, 115~137쪽.

김의수(2008), "문장의 구조와 해석문법", 「한국언어문학」 67, 한국언어문학회, 5~35쪽.

김의수(2009가), "한국어 문장의 분석 모델 연구", 「한국언어문화교육학회 제3차 국제학술대회 발표논문집」, 중국 상해외대, 147~159쪽.

김의수(2009나), "문장의 구조와 복잡성", 「한국중원언어학회 2009 봄 학술발표 논문집」, 충북대 개신문화관, 91~103쪽.

김의수(2010가), "문장 구조의 다양성과 복잡성", 「시학과언어학」 19, 시학과 언어학회, 67~97쪽.

김의수(2010나), "문장의 통사적 복잡성과 다양성", 「한국어학회 2010 가을 학술대회 발표논문집」, 고려대 문과대학, 31~49쪽.

김의수(2011), "문장의 어휘적 복잡성과 다양성", 「한국언어문화교육학회 제4차 국제학술대회 발표논문집」, 홍콩중문대, 151~162쪽.

김의수(2012가), "문장성분의 생략과 화용론적 복잡성 측정", 「한국어학회 제60차 전국 학술대회 발표논문집」, 한성대 미래관, 43~59쪽.

김의수(2012나), "복문에서의 논항 실현과 화용론적 복잡성", 「담

화인지언어학회, 한국사회언어학회 공동학술대회 발표논문
집」, 한국외대 인문과학관, 183~184쪽.

김의수(2012다), "해석문법과 한국어교육 연구", 「한국언어문화교
육학회 발표논문집」, 연세대 위당관, 12~31쪽.

김의수(2016가), 『언어의 다섯 가지 부문 연구』, 한국문화사.

김의수(2016나), "문장성분의 생략과 화용론적 복잡성 측정", 「중
한언어문화연구」 10, 천진사대 한국문화연구중심, 9~37쪽.

김의수(2016다), "문장의 통사 분석에서 어휘 분석까지", 「조선-한
국학 연구」 8, 사천외대 조선-한국학연구소, 79~104쪽.

김의수(2017), 『해석문법의 이론과 실제』, 한국문화사.

김의수(2018), "해석문법의 국어교육적 적용", 「한국어문교육」 24,
고려대 한국어문교육연구소, 129~159쪽.

김의수(2023), 『문장 분석』, 하우.

김의수·정은주(2017), "음운론적 복잡성과 다양성 측정 기제 연구:
음소 및 음절 차원에서", 「우리말연구」 49, 우리말학회,
5~36쪽.

김의수·정은주(2019), "지배적인 문형 분석을 통한 소설의 문체적
특성 연구", 「중한언어문화연구」 17, 천진사대 한국문화연구
중심, 73~96쪽.

김종호(2003), "중국어 補語에 상응하는 한국어 성분의 위치 문
제", 「중국어문학논집」 22, 중국어문학연구회, 87~116쪽.

남기심·고영근·유현경·최형용(2014), 『새로 쓴 표준 국어문법론』,
한국문화사.

남기심·고영근(1993), 『표준국어문법론(개정판)』, 탑출판사.

문유미(2015), "현대중국어 어법단위에 대한 小考: '절'과 '이합사' 문제를 중심으로", 「중국어문학논집」 95, 중국어문학연구회, 113~132쪽.

박은석(2015), "'구별사', '관형사', '연체사' 비교 연구", 「중어중문학」 61, 한국중어중문학회, 391~428쪽.

박정구(1998), "현대중국어 보어 분류의 재고", 「중국언어연구」, 한국중국언어학회, 1~14쪽.

박헌일·김태성·김의수(2014), "해석문법을 활용한 영한순차 통역물의 통사적 복잡성과 다양성 비교 연구", 「통번역학연구」 18-4, 한국외대 통역번역연구소, 65~96쪽.

성강원(2014), "해석문법 기반 한국어교육용 구문분석말뭉치 응용 프로그램 개발 및 활용 방안 연구", 한국외국어대학교 석사학위논문.

신박(2021), "한·중 기계 번역에서의 주어 생략 구문 연구", 한국외국어대학교 박사학위논문.

안기섭·김은희(2012), "현대중국어 부치사(介詞)의 유형론적 특징", 「중국학연구」 61, 중국학연구회, 191~221쪽.

오문의(2013), "중국어 문법 기술상의 몇 가지 문제에 대한 담론: 문장성분과 관련하여", 「중국문학」 74, 한국중국어문학회, 347~376쪽.

오문의(2014), "'것'과 "的"", 「중국문학」 80, 한국중국어문학회, 255~280쪽.

유현경(2011), "접속과 내포", 「국어학」 60, 국어학회, 389~411쪽.

윤유정(2008), "현대중국어 보어 분류 제 문제 고찰", 「중국언어연구」 26, 한국중국언어학회, 269~299쪽.

이화범(2008), "교학적 관점에서의 現代중국어 文章成分分類", 「중국언어연구」 26, 한국중국언어학회, 373~408쪽.

이화자(2019), "한중 두 언어의 대조연구 현황에 관한 고찰-연구목적에 따른 통계 분석 중심으로-", 「언어와 문화」 15-1, 한국언어문화교육학회, 251~280쪽.

정은주(2021), "해석문법의 체계와 적용 연구", 한국외국어대학교 박사학위논문.

北京大学中文系现代汉语教研室(2004), 『现代汉语(重排本)』, 商务印书馆.

陈立民(2002), 「现代汉语时态」, 『语言研究[J]』 第3期, 14~31.

戴耀晶(2001), 「现代汉语时体标记'了'的语义分析」, 『中国文学』 第35辑, 403~420.

丁声树(1999), 『现代汉语语法讲话』, 商务印书馆.

范 晓(2013), 『汉语短语语义语用研究』, 中国社会科学出版社.

龚千炎(1991), 「谈现代汉语的时制表示和时态表达系统」, 『中国语文』 第4期, 69~75.

龚千炎(1994), 「现代汉语的时间系统」, 『世界汉语教学』 第1期, 69~75.

何伟·马瑞芝(2011), 「现代汉语时间系统研究综述」, 『北京科技大学学报 (社会科学版)』 第27卷第一期, 19~27.

何元建(2011),『现代汉语生成语法』,北京大学出版社.

胡裕树·范晓(1994),「动词形容词的"名物化"和"名词化"」,『中国语文』第2期,81~85.

黄伯荣·廖序东(2011),『现代汉语(增订第四版)』 上/下册,高等教育出版社.

李行健编(2022),『现代汉语规范词典(第4版)』,外语教学与研究出版社,语文出版社.

李铁根(1999),『现代汉语时制研究』,辽宁大学出版社.

刘丹青(2003),『语序类型学与介词理论』,商务印书馆.

刘月华等(2007),『实用现代汉语语法(增订本)』,商务印书馆.

吕叔湘(1979),『汉语语法分析问题』,商务印书馆.

吕叔湘主编(1980),『现代汉语八百词』,商务印书馆.

吕叔湘(1982),『中国文法要略』,商务印书馆.

吕叔湘(1999),『现代汉语八百词(增订本)』,商务印书馆.

潘文国(1997),『汉英语对比纲要』,北京语言大学出版社.

沈家煊(1991),「《类型和共性》评介」,『当代语言学』第3期,25~28.

沈家煊·吴福祥·马贝加主编(2005),『语法化与语法研究(二)』,商务印书馆.

王海峰(2002),「现代汉语离合词离析动因刍议」,『语文研究』 第3期,29~34.

王力(1985),『中国现代语法』,商务印书馆.

邢福义(2001),『现代汉语』,高等教育出版社.

熊仲儒(2013),『当代语法学教程』,北京大学出版社.

张斌主编(2010),『现代汉语描写语法』, 商务印书馆.

张济卿(1996), 「语并非没有时制语法范畴——谈时、体研究中的几个问题」,『语文研究』第4期, 26~31.

张谊生(2000),『现代汉语副词研究』, 学林出版社.

张谊生(2000),「略论时制助词"来着"——兼论"来着1"与"的2"以及"来着2"的区别」,『理师专学报』第4期, 63~69.

赵元任 著, 吕叔湘 译(1979),『汉语口语语法』, 商务印书馆.

中国社会科学院语言研究所词典编辑室编(2016),『现代汉语词典』第7版, 商务印书馆.

周小兵(1995),「谈汉语时间词」,『语言教学与研究』第3期, 85~93.

朱德熙(1961),「说'的'」,『现代汉语语法研究』, 商务印书馆.

朱德熙(1966),「关于说'的'」,『现代汉语语法研究』, 商务印书馆.

朱德熙(1978),「'的'字结构和判断句」,『现代汉语语法研究』, 商务印书馆.

朱德熙(1982),『语法讲义』, 商务印书馆.

朱德熙(1983),「自指和转指——汉语名词化标记'的, 者, 所, 之'的语法功能和语义功能」,『方言』第1期, 中國社會科學院語言研究所.

朱德熙(1985),『语法答问』, 商务印书馆.